POWIEDZ TO PO POLSKU
SAY IT THE POLISH WAY

Katarzyna Drwal-Straszakowa
Waldemar Martyniuk

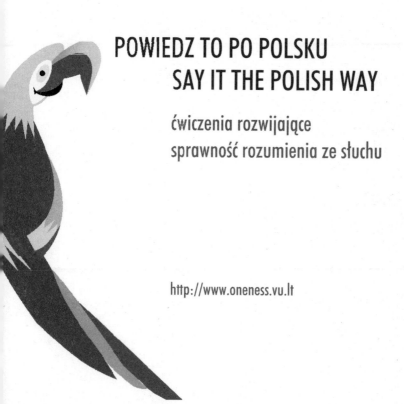

POWIEDZ TO PO POLSKU
SAY IT THE POLISH WAY

ćwiczenia rozwijające
sprawność rozumienia ze słuchu

http://www.oneness.vu.lt

Kraków

Publikacja powstała w ramach projektu ONENESS Socrates Lingua 2
(110745-CP-1-2003-1-LT-LINGUA-L2)

SOCRATES TRANSNATIONAL CO-OPERATION PROJECT
LINGUA ACTION 2 DEVELOPMENT OF TOOLS AND MATERIALS

This project has been carried out with the support of the European Community
in the framework of the Socrates programme.

Tłumaczenie: Bogusław Potok

Konsultacja językowa: Wacław Przemysław Turek (język polski),
Dan Polsby (język angielski)

Projekt graficzny okładki: Laura Leščinskaitė

Projekt polskiej wersji okładki: Sepielak

Nagrania: Studio nagrań „Nieustraszeni Łowcy Dźwięków" (www.nld.com.pl)

Swoich głosów na płycie użyczyli: Dorota Bochenek, Krzysztof Bochenek, Katarzyna
Chlebny, Ian Corkill, Jacek Dyląg, Marcin Kalisz, Katarzyna Mietniowska, Andrzej
Młynarczyk, Tomasz Wysocki

ISBN 83-242-0754-6

www.universitas.com.pl

Table of Contents / Spis treści

INTRODUCTION

"POWIEDZ TO PO POLSKU – SAY IT THE POLISH WAY"
is an easy, accessible and handy course book and guide which
motivates the reader to learn Polish as a foreign language and
helps to overcome the initial difficulties in communicating. The
three key features of the book are:

- Providing essential information about Poland, Polish culture
  and the Polish language;
- Providing learning material for the development of basic
  communication skills (listening, speaking and interaction) in
  Polish as a foreign language;
- Promoting and advertising results of the ONENESS project,
  funded by the European Commission through the Socrates-
  Lingua 2 programme.

"POWIEDZ TO PO POLSKU – SAY IT THE POLISH WAY"
was specially designed to meet the needs of:

- Foreigners planning to visit Poland – young people, students,
  tourists, business people;
- Foreigners staying in Poland – young people, students, tourists,
  business people;
- Participants of beginner's courses of Polish as a foreign
  language run by language schools, summer schools and
  universities in Poland, exchange students of the European
  Socrates-Erasmus programme.

The material in the course book falls into the following sec-
tions:

WSTĘP

„POWIEDZ TO PO POLSKU – SAY IT THE POLISH WAY" to prosty, łatwy w odbiorze i użyciu podręcznik-przewodnik zachęcający do uczenia się języka polskiego jako obcego i oferujący szybką pomoc w pokonywaniu początkowych trudności komunikacyjnych. Zawartość podręcznika stanowi materiał spełniający trzy funkcje:

- informacyjną – minimum informacji o języku polskim i o Polsce;
- dydaktyczną – rozwijanie umiejętności komunikacji (rozumienia ze słuchu i mówienia/interakcji) w języku polskim jako obcym;
- promocyjną – popularyzacja rezultatów projektu ONENESS, finansowanego z programu Komisji Europejskiej Socrates-Lingua 2.

Podręcznik „POWIEDZ TO PO POLSKU – SAY IT THE POLISH WAY" opracowany został z myślą o takich grupach uczących się języka polskiego, jak:

- cudzoziemcy wybierający się do Polski – młodzież, studenci, turyści, ludzie biznesu;
- cudzoziemcy przebywający w Polsce – młodzież, studenci, turyści, ludzie biznesu;
- uczestnicy wstępnych kursów języka polskiego jako obcego oferowanych przez szkoły językowe, szkoły letnie i uniwersytety w Polsce, studenci programu Socrates-Erasmus.

Na całość materiału podręcznika składają się następujące części:

- Brief information about Poland and the Polish language;
- A series of 10 lessons – situations which give an insight into the use of Polish in selected communicative settings, with dialogues and accompanying activities recorded on a CD. These allow for fast learning of elementary expressions, phrases and basic vocabulary – on one's own or in a classroom;
- Concise information on the ONENESS project, a multimedia platform for learning and teaching Polish, Finnish, Lithuanian, Estonian and Portuguese, along with information on partner institutions and the Socrates-Lingua programme of the European Commission.

- krótka informacja o Polsce, kulturze polskiej i języku polskim;
- zestaw 10 lekcji – scenek ilustrujących użycie języka polskiego w wybranych sytuacjach komunikacyjnych wraz z nagranymi na płytę CD ćwiczeniami pozwalającymi na szybkie opanowanie elementarnych zwrotów i wyrażeń oraz podstawowego słownictwa – samodzielnie lub pod kierunkiem nauczyciela;
- krótka informacja na temat projektu ONENESS – platformy multimedialnej do uczenia się i nauczania języków: polskiego, fińskiego, litewskiego, estońskiego i portugalskiego – wraz z informacją o instytucjach partnerskich i o programie Komisji Europejskiej Socrates-Lingua.

Basic Facts / Część informacyjna

POLAND

Official name: The Republic of Poland (Rzeczpospolita Polska)

Geographical location: Central Europe, Germany to the west, the Czech Republic and Slovakia to the south, Ukraine and Belarus to the east, the Baltic Sea to the north, Lithuania and Russia (in the form of the Królewiec/Kaliningrad division) to the north-east

Area: 312,685 sq km. 9th biggest country in Europe, and 68th in the world

Capital: Warsaw (Warszawa) (city population: 1,676,000; urban population: 2,400,000)

Largest cities: Łódź (825,600), Kraków (city population: 757,500; urban population: 1,200,000), Wrocław (632,200), Poznań (581,200), Gdańsk (456,700), Szczecin (415,700)

Official language: Polish

Political system: Parliamentary democracy. The Polish Parliament consists of two legislative bodies: The lower house is called Sejm (460 elected deputies), the upper house is Senate (100 senators)

Population: 38,626,349 (2004): Polish – 96.7%, other ethnic groups: German (~500,000), Belarusian (~200,000), Ukrainian (~300,000), Lithuanian (~20,000), Slovak (~20,000) and other – total 3.3%. This figure makes Poland the 29th most populated country in the world and the 8th in Europe

Religion: Roman Catholic 91% (number of baptized), Eastern Orthodox, Protestant, and other 9%

National flag: Colors: top – white, bottom – red

National emblem: White Eagle wearing a golden crown on a red background

National currency: 1 zloty (PLN) equals to 100 groszy. Exchange rate: 1 € ~ 4.00 PLN (as of September 2006)

Sources:
www.poland.pl
www.poland.gov.pl

POLISH CULTURE

The style and personality of Polish life has been shaped over a thousand years since the foundation of the Polish states in the year 966. The national culture developed at the crossroads of the Latinate and Byzantine worlds, in continual dialogue with the many ethnic groups in Poland. The people of Poland have always been hospitable to artists from abroad, and eager to follow what was happening in other countries. In the 19th and 20th centuries Poles' concentration on cultural advancement often took the place of political and economic activity. These factors have contributed to the versatile character of Polish art, with all its complex nuances.

Dialogue and the interpenetration of cultures have been major characteristics of Polish tradition for centuries. Customs, manners, and dress have reflected the influences of east and west. The traditional costumes worn by the gentry in the 16th and 17th centuries were inspired by rich eastern ornamental styles, including Islamic influences. Polish cuisine and social customs are another reflection of multifarious trends.

Polish **architecture** reflects the whole spectrum of European styles. Poland's eastern frontiers marked the boundary of the influences of Western architecture on the continent. History has not been kind to Poland's architectural monuments. However, a number of ancient edifices have survived: castles, churches, and stately homes, sometimes unique in the regional or European context. Some of them have been painstakingly restored (the Royal Castle in Krakow), or completely reconstructed after total devastation in the Second World War (the Old City and the Royal Castle in Warsaw, the Old Cities of Gdańsk and Wrocław). The picturesque city of Kazimierz on the Vistula River is an example of a well-preserved mediaeval town. Krakow ranks among the best preserved Gothic and Renaissance urban complexes in Europe. Polish church architecture deserves special attention. Some interesting buildings were also constructed during the Communist regime in the style of Socialist Realism (The Palace of Culture and Science in Warsaw).

Polish **art** has always reflected world trends while maintaining its unique character. Jan Matejko's famous school of Historicist painting produced monumental portrayals of events which were historic for Poland. Stanisław Witkiewicz was an ardent supporter of Realism in Polish art, its main representative being Józef Chełmoński. The Młoda Polska (Young Poland) movement witnessed the birth of modern Polish art, and engaged in a great deal of formal experimentation. Its main adherents were Jacek Malczewski (Symbolism), Stanisław Wyspiański, Józef Mehoffer, and a group of Polish Impressionists. Artists of the twentieth-century Avant-Garde represented various schools and trends. The art of Tadeusz Makowski was influenced by Cubism; while Władysław Strzemiński and Henryk Stażewski worked within the Constructivist idiom. Distinguished contemporary artists include Roman Opałka, Leon Tarasewicz, Jerzy Nowosielski, and Mirosław Bałka and Katarzyna Kozyra in the younger generation. The most celebrated Polish sculptors include Xawery Dunikowski, Katarzyna Kobro, Alina Szapocznikow and Magdalena Abakanowicz. Since the inter-war years, Polish art and documentary photography has enjoyed worldwide recognition. In the sixties the Polish Poster School was formed, with Henryk Tomaszewski and Waldemar Świerzy at its head.

The origins of Polish **literature** written in the Polish vernacular go back beyond the 14th century. In the 16th century the poetic works of Jan Kochanowski established him as a leading representative of European Renaissance literature. Baroque and Neo-Classicist letters made a signal contribution to the integration of Poland's peoples of many different cultural backgrounds. The early 19th-century novel *Manuscrit trouvé à Saragosse* by Count Jan Potocki, which survived in its Polish translation after the loss of the original in French, became a world classic. Wojciech Hass' film based on it, a favourite with Luis Buñuel, later became a cult film on Polish university campuses. Poland's great Romantic literature flourished in the 19th century when the country had lost its independence. The poets Adam Mickiewicz, Juliusz Słowacki and Zygmunt Krasiński, the "Three Bards", became the spiritual leaders of a nation deprived of its sovereignty, and prophesised its revival. Henryk Sienkiewicz, a Nobel prizewinner for his novel *Quo Vadis* in 1905, eulogised the historical tradition.

In the early 20th century many outstanding literary works emerged from exchange across cultures and Avant-Garde experimentation. The legacy of the Kresy Marchlands in Poland's eastern regions with Wilno and Lwów (now Vilnius and Lviv) as two major centres for the arts played a special role in these developments. This was also a region in which Jewish tradition and the mystic movement of Chassidism thrived. The Kresy were a cultural trysting-place for numerous ethnic and national groups, where the arts flourished of cultures in contact with each other. The works of Bruno Schulz, Bolesław Leśmian, and Józef Czechowicz were written here. In the south of Poland, Zakopane was the birthplace of the Avant-Garde works of Stanisław Ignacy Witkiewicz (Witkacy).

After the Second World War many Polish writers found themselves in exile abroad, with many clustered around the Paris-based *Kultura* publishing venture run by Jerzy Giedroyc. The group of émigré writers included Witold Gombrowicz, Gustaw Herling-

Grudziński, Czesław Miłosz, and Sławomir Mrożek. Zbigniew Herbert, Tadeusz Różewicz, Czesław Miłosz (Nobel Prize in 1980), and Wisława Szymborska (Nobel Prize in 1996) are among the most outstanding 20th-century Polish poets, novelists and playwrights, which also include Witold Gombrowicz, Sławomir Mrożek, and Stanisław Lem (for science fiction). Hanna Krall's reportages which focus mainly on the war-time Jewish experience, and Ryszard Kapuściński's books have been translated into many languages. It is difficult to grasp fully the detailed tradition of Polish Romanticism and its consequences for Polish literature without a thorough knowledge of Polish history.

The **music** of Frederic Chopin, inspired by Polish tradition and folklore, conveys the quintessence of Romanticism. Since 1927, the Chopin International Piano Competition, one of the world's most prestigious piano competitions, has been held every five years in Warsaw. Traditional Polish music has inspired composers like Karol Szymanowski, Mieczysław Karłowicz, Witold Lutosławski, Wojciech Kilar, Henryk Mikołaj Górecki, and Krzysztof Penderecki – all of whom rank among the world's most celebrated composers. Polish jazz with its special national flavour has fans and followers in many countries. The best-known contemporary Polish jazz artists are Urszula Dudziak, Michał Urbaniak, Adam Makowicz, and Tomasz Stańko. Successful composers of film music include Zbigniew Preisner, Jan A.P. Kaczmarek, and Wojciech Kilar.

Graduates of the famous Łódź **Film** School include many celebrated directors, among them Roman Polański (*Knife in the Water*, *Rosemary's Baby*, *Frantic*, *The Pianist*) and Krzysztof Zanussi, a leading director of the "cinema of moral anxiety" of the 70s. Andrzej Wajda's films offer an insightful analysis of what is universal in the Polish experience – the struggle to maintain human dignity under circumstances which hardly allow it. His major films describe the identity of many of Poland's generations. In

2000 Wajda was awarded an Oscar for his contribution to cinema. In the 90s Krzysztof Kieślowski's films, such as *The Decalogue*, *The Double Life of Veronica*, *Three Colours*, won great popularity. Other Polish film makers such as Agnieszka Holland and Janusz Kamiński have worked in Hollywood as well. Polish animated films – represented by Jan Lenica and Zbigniew Rybczyński (awarded an Oscar in 1983) – have a long tradition, and derive inspiration from Poland's graphic arts.

The Polish Avant-Garde **theatre** is world-famous, with Jerzy Grotowski as its most innovative and creative representative. One of the most original twentieth-century theatre personalities was Tadeusz Kantor, painter, theoretician of drama, stage designer, and playwright, his ideas finding their culmination in the theatre of death and his most appreciated production being *The Dead Class*.

Poland offers a wide spectrum of cultural experience. Those interested in high culture will enjoy the renowned music festivals like Wratislavia Cantans and the Warsaw Autumn. Polish museums exhibit remarkable art collections – masterpieces including Leonardo da Vinci's *Lady with an Ermine* in the Czartoryski Museum, Krakow; the Veit Stoss *High Altar* in St. Mary's Basilica, Krakow; and the *Last Judgement* by Hans Memling (The National Museum in Gdańsk).

Source:
www.culture.pl

**Jagiellonian University in Krakow,
School of Polish Language and Culture**

KRAKÓW placed by UNESCO on the list of Places of World Natural and Cultural Heritage, is famed for its architectural beauty – including Wawel Royal Castle, one of the most beautiful Renaissance castles in Europe – for the picturesque and charming Old Town with the largest mediaeval city plaza in Europe, and for the famous JAGIELLONIAN UNIVERSITY founded in 1364, some of its original, unique medieval buildings preserved in their entirety and now serving as the University Museum. Among the University's most illustrious students were Nicolaus Copernicus and Pope John Paul II.

Every year since 1969 the Jagiellonian University SCHOOL OF POLISH LANGUAGE AND CULTURE – www.uj.edu.pl/SL – has been a place of study for thousands of students, teachers and professors from all over the world. The School offers a rich and highly professional academic programme as well as a variety of cultural events and numerous sightseeing excursions and field trips. It is the largest center for the teaching of Polish as a foreign/second language in Poland. Every year over 900 students take part in programmes offered by the School. The curricula include language instruction on all levels and lectures on various aspects of the Polish history, culture, economy and society. The School was the first institution in Poland to apply high quality standards for the teaching and the testing in Polish as a Foreign Language for which it was granted the European Label 2002 and 2005 awards for innovative initiatives in language teaching and learning. The proficiency level descriptions and the examination system developed within the School have been recently adopted as a core material for the development of a STATE CERTIFICATION SYSTEM FOR POLISH AS A FOREIGN LANGUAGE.

Sources:
www.poland.pl
www.krakow.pl
www.uj.edu.pl
www.buwiwm.edu.pl

POLISH LANGUAGE

Polish belongs to the West-Slavic group of the Indo-European family of languages. Its structure represents a synthetic, highly inflected system. As a language of its own, Polish evoked in the 10th century playing an important role for the development of the Polish state after its Christianization in the year 966. The oldest single words in Polish have been found in 12th century Latin texts. The oldest full sentence written in Polish is dated 1270: "Daj, ać ja pobruszę, a ty poczywaj" ("Give it to me, I will grind and you can rest now!"). Until the end of the 14th century Polish was used mostly only in several spoken variations. As a literary, over regional language it developed first in the 15th and 16th centuries as it started to be used by a growing group of writers and scholars, who were able to create Renaissance literature of a considerable quality in Polish. During the early stages of its development the Polish language was highly influenced by the neighbouring languages – German and Czech – and by Latin. Later on, in the 18th century, Polish came under quite strong influence of French. Nowadays the English language serves as the main source of borrowed words and phrases.

The estimated number of people who use Polish as their native language is above 40 million. 90 percent of them live within the current borders of Poland. Large groups of ethnic Poles and their descendants live outside the home country, a. o. in the USA, in Canada, Australia, Brazil, Great Britain, France, Germany, Belarus, Ukraine, Lithuania and in Kazakhstan.

The largest dictionaries of Polish contain up to 130 000 items. The estimated number of words used in everyday communication reaches 20 000.

In the last period of time a growing interest in learning Polish as a foreign language can be observed. An estimated number of 10 000 learners study Polish all over the world, about one third of them at universities and language schools in Poland. Apparently, they are not getting confused by the fact that for example the nouns in Polish can have up to 14 different declension forms each. In no way are they shocked by the pronunciation of utterances like "W Szczebrzeszynie chrząszcz brzmi w trzcinie". To their surprise and amusement they find words in Polish that sound very familiar to them. German students recognize (almost) immediately words like *dach*, *blacha*, *jarmark*, *gmach* or *ratusz*. The Italians enjoy such Polish words as *fontanna*, *gracja*, *pomidor* and *parapet*. The French can immediately start using words of their own, like *bagaż*, *bilet*, *bukiet*, *romans* or *wizyta*. Speakers of English smile to words like *trener*, *spiker*, *komputer*, *biznesmen*, *folder*, *mikser*, *relaks*, *keczup*, *drybling* or *dżinsy*. All of them can easily understand front page headlines in Polish newspapers, like: "Racjonalna polityka ekonomiczna", "Katastrofalna inflacja – bank centralny interweniuje", "Konferencja prasowa ministra finansów", "Korupcja koalicji", "Skandal w USA – prezydent i praktykantka". And it is all in genuine Polish!

Teaching Manual / Część pedagogiczna

This manual may be used to develop basic skills in listening comprehension, spoken production and spoken interaction in Polish as a foreign language. The selection of the pedagogical content has been based on – but not rigorously restricted to – the general descriptions of a Basic (language) User covering the two lowest levels of language proficiency specified by the Council of Europe Common European Framework of Reference for Languages as follows[1]:

1. Basic User: Global scale of language proficiency

Breakthrough Level (A1):
Can understand and use familiar everyday expressions and very basic phrases aimed at the satisfaction of needs of a concrete type. Can introduce him/herself and others and can ask and answer questions about personal details such as where he/she lives, people he/she knows and things he/she has. Can interact in a simple way provided the other person talks slowly and clearly and is prepared to help.

Waystage Level (A2):
Can understand sentences and frequently used expressions related to areas of most immediate relevance (e.g. very basic personal and family information, shopping, local geography, employment). Can communicate in simple and routine tasks requiring a simple and direct exchange of information on familiar and routine matters. Can describe in simple terms aspects of his/her background, immediate environment and matters in areas of immediate need.

---

[1] *Common European Framework of Reference for Languages: Learning, teaching, assessment.* Council of Europe, Cambridge University Press, 2001, p. 24, 26.

2. Basic User: Can-do statements for self-assessment

LISTENING COMPREHENSION

Breakthrough Level (A1):
I can recognise familiar words and very basic phrases concerning myself, my family and immediate concrete surroundings when people speak slowly and clearly.

Waystage Level (A2):
I can understand phrases and the highest frequency vocabulary related to areas of most immediate personal relevance (e.g. very basic personal and family information, shopping, local geography, employment). I can catch the main point in short, clear, simple messages and announcements.

SPOKEN INTERACTION

Breakthrough Level (A1):
I can interact in a simple way provided the other person is prepared to repeat or rephrase things at a slower rate of speech and help me formulate what I'm trying to say. I can ask and answer simple questions in areas of immediate need or on very familiar topics.

Waystage Level (A2):
I can communicate in simple and routine tasks requiring a simple and direct exchange of information on familiar topics and activities. I can handle very short social exchanges, even though I can't usually understand enough to keep the conversation going myself.

SPOKEN PRODUCTION

Breakthrough Level (A1):
I can use simple phrases and sentences to describe where I live and people I know.

Waystage Level (A2):
I can use a series of phrases and sentences to describe in simple terms my family and other people, living conditions, my educational background and my present or most recent job.

Dialogues • Activities* • Phrases and expressions

LESSONS

 * The number refers to the order of recording tracks on the CD

Dialogi • Ćwiczenia* • Zwroty i wyrażenia

ZESTAW LEKCJI

 Liczba oznacza numer nagrania na płycie

LET'S GET TO KNOW EACH OTHER!

👄 Dialogues

1. The first lesson of Polish

Teacher: Hello everyone. My name's Katarzyna Straszak. I'm your Polish teacher. What's your name?

Sonia: Hello. I'm Sonia Dubois.

Teacher: Nice to meet you. Where are you from?

Sonia: From Belgium.

Teacher: And you? What's your name?

Maria: My name's Maria Gabriela Madeira. I'm from Portugal.

Teacher: And you? What's your name?

Matthias: Matthias Schwarz. I'm from Germany.

Teacher: Nice to meet you!

2. A meeting in a university cafeteria

Tomek: Excuse me, is this place free?

Sonia: Yes, sure.

Tomek: Thank you! I'm Tomek.

Sonia: And I'm Sonia, nice to meet you!

Tomek: Do you study here?

Sonia: Yes. Polish and History.

Tomek: Polish???

Sonia: Yes, I'm from Belgium, but my mother's Polish.

POZNAJMY SIĘ!

Lekcja 1

 **Dialogi**

1. Pierwsza lekcja języka polskiego (2)

Nauczycielka: Dzień dobry państwu. Nazywam się Katarzyna Straszak. Jestem państwa nauczycielką języka polskiego. Jak się pani nazywa?

Sonia: Dzień dobry. Jestem Sonia Dubois.

Nauczycielka: Bardzo mi miło. Skąd pani jest?

Sonia: Z Belgii.

Nauczycielka: A pani? Jak się pani nazywa?

Maria: Nazywam się Maria Gabriela Madeira. Jestem z Portugalii.

Nauczycielka: A pan? Jak się pan nazywa?

Matthias: Matthias Schwarz. Jestem z Niemiec.

Nauczycielka: Miło mi państwa poznać!

2. Spotkanie w bufecie uniwersyteckim (3)

Tomek: Przepraszam, czy tu jest wolne?

Sonia: Tak, proszę bardzo.

Tomek: Dziękuję! Jestem Tomek.

Sonia: A ja Sonia, miło mi!

Tomek: Studiujesz tu?

Sonia: Tak. Język polski i historię.

Tomek: Język polski???

Sonia: Tak. Jestem z Belgii, ale moja mama jest Polką.

Tomek:	You speak Polish very well!
Sonia:	Thank you. I only speak a little. And what do you do?
Tomek:	I study Law. I'm in the fourth year.
Sonia:	Oh! That's a difficult subject to study, isn't it?
Tomek:	It's difficult but interesting! We have...
Sonia:	Wait a second, my friend's coming... Maria!
Maria:	Hi, Sonia!
Sonia:	Hi! Come here to us!
Maria:	I can't, I'm in a hurry...!
Sonia:	Come on, I'll introduce you to someone! This is Tomek. He studies Law. Tomek – this is Maria from Portugal.
Tomek:	Hi, Maria. Nice to meet you.
Maria:	Hi, Tomek.
Tomek:	So you study Polish, too?
Maria:	Yes. I'm going to class now.
Sonia and Tomek:	OK, see you later.
Maria:	See you!

Tomek: Świetnie mówisz po polsku!
Sonia: Dziękuję. Mówię tylko trochę. A co ty robisz?

Tomek: Studiuję prawo. Czwarty rok.
Sonia: O! To chyba trudne studia, co?
Tomek: Trudne, ale interesujące! Mamy...
Sonia: Poczekaj sekundę, idzie moja koleżanka... Maria!
Maria: Cześć, Sonia!
Sonia: Cześć! Chodź do nas!
Maria: Nie mogę, śpieszę się...!
Sonia: Chodź, poznasz kogoś! To jest Tomek. Studiuje prawo.
Tomek – to jest Maria z Portugalii.

Tomek: Cześć, Maria. Miło cię poznać.
Maria: Cześć, Tomek.
Tomek: Ty też studiujesz język polski?
Maria: Tak. Właśnie idę na zajęcia.
Sonia
i Tomek: OK, do zobaczenia później.
Maria: Na razie!

🎧 Ćwiczenia / Activities

ĆWICZENIE 1 🎧4

Proszę słuchać i odegrać rolę studenta. / Please listen and act out the role of the student.

Nauczycielka: Dzień dobry państwu. Nazywam się Katarzyna Straszak. Jestem państwa nauczycielką języka polskiego. Jak się pani nazywa?

Sonia: ....

Nauczycielka: Bardzo mi miło. Skąd pani jest?

Sonia: ....

Nauczycielka: A pani? Jak się pani nazywa?

Maria: ....

Nauczycielka: A pan? Jak się pan nazywa?

Matthias: ....

Nauczycielka: Miło mi państwa poznać!

ĆWICZENIE 2 🎧5

Proszę słuchać i powtarzać. / Please listen and repeat.

Tomek: Przepraszam, czy tu jest wolne? ....?

Sonia: Tak, proszę bardzo. ....

Tomek: Dziękuję! Jestem Tomek. ....

Sonia: A ja Sonia, miło mi! ....!

Tomek: Studiujesz tu? ....?

Sonia: Tak. Język polski i historię. ....

Tomek: Język polski??? ....???

Sonia: Tak. Jestem z Belgii, ale moja mama jest Polką. ......

....

Tomek: Świetnie mówisz po polsku! ....!

Sonia: Dziękuję. Mówię tylko trochę. ....

A co ty robisz? ....?

Tomek: Studiuję prawo. Czwarty rok. . . . .
Sonia: O! To chyba trudne studia, co? . . . .?
Tomek: Trudne, ale interesujące! Mamy... . . . .
. . . .
Sonia: Poczekaj sekundę, ..., idzie moja
koleżanka... Maria! . . . .!
Maria: Cześć, Sonia! . . . .!
Sonia: Cześć! Chodź do nas! . . . .!
Maria: Nie mogę, śpieszę się...! . . . .!
Sonia: Chodź, poznasz kogoś! . . . .!
To jest Tomek. Studiuje prawo. . . . .
Tomek – to jest Maria z Portugalii. . . . .
. . . .
Tomek: Cześć, Maria. Miło cię poznać. . . . .
. . . .

ĆWICZENIE 3 (6)
**Proszę słuchać i odegrać rolę Soni. / Please listen and act out
the role of Sonia.**

Tomek: Przepraszam, czy tu jest wolne?
Sonia: . . . .
Tomek: Dziękuję! Jestem Tomek.
Sonia: . . . .!
Tomek: Studiujesz tu?
Sonia: . . . .
Tomek: Świetnie mówisz po polsku!
Sonia: . . . .

! Phrases and expressions

- Hello!
- Hello everyone! (or: Hello, ladies and gentlemen!)
- I'm a (female) teacher.
- Nice to meet you!
- Where are you from? (used to address a woman)
- Where are you from? (used to address a man)
- What's your name? (used to address a woman)
- What's your name? (used to address a man)
- Nice to meet you! (when addressing a group of people)
- Excuse me!
- Is this place free?
- Yes, sure!
- Thank you!
- I only speak a little Polish.
- I study Polish.
- It's a difficult, but interesting subject to study.
- Wait a second...
- Hi!
- Come here to us!
- I can't, I'm in a hurry.
- Come on, I'll introduce you to someone! (*lit.* Come on, you'll get to know someone!)
- Hi, Maria! Nice to meet you.
- See you later!
- See you! (So long!)

! Zwroty i wyrażenia 🎧 7

- Dzień dobry!
- Dzień dobry państwu!
- Jestem nauczycielką.
- Bardzo mi miło!
- Skąd pani jest?
- Skąd pan jest?
- Jak się pani nazywa?
- Jak się pan nazywa?
- Miło mi państwa poznać!
- Przepraszam!
- Czy tu jest wolne?
- Tak, proszę bardzo!
- Dziękuję!
- Mówię tylko trochę po polsku.
- Studiuję język polski.
- To trudne, ale interesujące studia.
- Poczekaj sekundę...
- Cześć!
- Chodź do nas!
- Nie mogę, śpieszę się.
- Chodź, poznasz kogoś!

- Cześć, Maria! Miło cię poznać.
- Do zobaczenia później!
- Na razie!

Countries, inhabitants, languages / Kraje, mieszkańcy, języki

Kraj (country)	Skąd jestem? (Where am I from?)	Mieszkaniec/ Mieszkanka (male/female inhabitant)	Mieszkańcy (inhabitants)	Język (language)	Mówię... (I speak...)
Austria	z Austrii	Austriak/Austriaczka	Austriacy	niemiecki	po niemiecku
Belgia	z Belgii	Belg/Belgijka	Belgowie	francuski flamandzki	po francusku po flamandzku
Czechy	z Czech	Czech/Czeszka	Czesi	czeski	po czesku
Dania	z Danii	Duńczyk/Dunka	Duńczycy	duński	po duńsku
Estonia	z Estonii	Estończyk/Estonka	Estończycy	estoński	po estońsku
Finland a	z Finlandii	Fin/Finka	Finowie	fiński	po fińsku
Francja	z Francji	Francuz/Francuzka	Francuzi	francuski	po francusku
Grecja	z Grecji	Grek/Greczynka	Grecy	grecki	po grecku
Hiszpar ia	z Hiszpanii	Hiszpan/Hiszpanka	Hiszpanie	hiszpański	po hiszpańsku
Holand a	z Holandii	Holender/Holenderka	Holendrzy	niderlandzki	po niderlandzku
Irlandia	z Irlandii	Irlandczyk/Irlandka	Irlandczycy	irlandzki	po irlandzku

Litwa	z Litwy	Litwin/Litwinka	Litwini	litewski	po litewsku
Łotwa	z Łotwy	Łotysz/Łotyszka	Łotysze	łotewski	po łotewsku
Malta	z Malty	Maltańczyk/Maltanka	Maltańczycy	maltański	po maltańsku
Niemcy	z Niemiec	Niemiec/Niemka	Niemcy	niemiecki	po niemiecku
Polska	z Polski	Polak/Polka	Polacy	polski	po polsku
Portugalia	z Portugalii	Portugalczyk/Portugalka	Portugalczycy	portugalski	po portugalsku
Rosja	z Rosji	Rosjanin/Rosjanka	Rosjanie	rosyjski	po rosyjsku
Słowacja	ze Słowacji	Słowak/Słowaczka	Słowacy	słowacki	po słowacku
Słowenia	ze Słowenii	Słoweniec/Słowenka	Słoweńcy	słoweński	po słoweńsku
Szwecja	ze Szwecji	Szwed/Szwedka	Szwedzi	szwedzki	po szwedzku
Węgry	z Węgier	Węgier/Węgierka	Węgrzy	węgierski	po węgiersku
Wielka Brytania	z Wielkiej Brytanii	Brytyjczyk/Brytyjka	Brytyjczycy	angielski	po angielsku
Włochy	z Włoch	Włoch/Włoszka	Włosi	włoski	po włosku
USA	z USA	Amerykanin/Amerykanka	Amerykanie	angielski	po angielsku

WHERE DO YOU LIVE?

🗣 Dialogues

1. Matthias and Sonia are talking about flats

Matthias: Do you have a place to stay, Sonia?
Sonia: Yes, I have a great flat!
Matthias: Where?
Sonia: On Fiołkowa Street.
Matthias: Where is it? Is it far away?
Sonia: It's not far, 15 (fifteen) minutes by bus.
Matthias: What kind of flat is it?
Sonia: Two rooms. And a big kitchen.
Matthias: Is it furnished?
Sonia: Yes, but there isn't much furniture. In the kitchen there is a table, cupboards, a cooker (oven range) and a fridge. In the bedroom there's a bed and a wardrobe. Besides that, there are just two armchairs and a desk.
Matthias: Do you have a TV set?
Sonia: I don't, and I don't want to have one! A computer and the Internet are enough.
Matthias: Do you live alone?
Sonia: No, with a friend from Denmark, Karen. And why are you asking, Matthias???
Matthias: You know, I've been looking for a flat for a week...
Sonia: And?
Matthias: And I can't find anything that I'd like (*lit.* that suits me).

Lekcja 2   GDZIE MIESZKASZ?

💬 Dialogi 🎧

1. Matthias i Sonia rozmawiają o mieszkaniach

Matthias: Masz już gdzie mieszkać, Soniu?
Sonia: Tak. Mam wspaniałe mieszkanie!
Matthias: Gdzie?
Sonia: Przy ulicy Fiołkowej.
Matthias: Gdzie to jest? Daleko stąd?
Sonia: Niedaleko, 15 (piętnaście) minut autobusem.
Matthias: Jakie jest to mieszkanie?
Sonia: Dwa pokoje i duża kuchnia.
Matthias: Czy jest umeblowane?
Sonia: Tak, ale mebli nie ma dużo. W kuchni jest stół, są szaf-
            ki, kuchenka, lodówka. W sypialni jest łóżko i szafa.
            Poza tym tylko dwa fotele i biurko.
Matthias: Czy masz telewizor?
Sonia: Nie mam i nie chcę mieć! Wystarczy mi komputer
            i Internet.
Matthias: Mieszkasz sama?
Sonia: Nie, z koleżanką z Danii – Karen. A dlaczego pytasz,
            Matthias???
Matthias: Wiesz, już ponad tydzień szukam mieszkania...
Sonia: I co?
Matthias: I nie mogę znaleźć niczego, co mi pasuje.

Sonia: I can help you, if you want. I know how to do it.
Matthias: Oh, it's very kind of you. I'll be very grateful!

2. In a hotel reception

Receptionist: Hello, sir.
Jouni: Hello. I have a room booked here.
Receptionist: What's your name?
Jouni: Jouni Tossavainen. I'm from Finland.
Receptionist: I'm sorry, I didn't catch your name (*lit.* I didn't
              understand). Can you repeat or spell it, please?
Jouni: T-O-S-S-A-V-A-I-N-E-N (*lit.* T for Tomek, O for
              Ola, double S for Stefan, A for Anna, V 'vi', A for
              Anna, I for Irena, N for Natalia, E for Ewa and
              N for Natalia).
Receptionist: Ah, Mr. Tossavainen. It's all right. Fill in this form,
              please. And here's your key. Room number 102
              (a hundred and two), first floor.
Jouni: Thank you very much.
Receptionist: Certainly. Have a nice stay!

Sonia: Mogę ci pomóc, jeśli chcesz. Wiem, jak to robić.
Matthias: O, to bardzo miło z twojej strony. Będę ci bardzo
           wdzięczny!

2. W hotelowej recepcji (9)

Recepcjonistka: Dzień dobry panu.
Jouni: Dzień dobry. Mam tutaj zarezerwowany pokój.
Recepcjonistka: Jak się pan nazywa?
Jouni: Jouni Tossavainen. Jestem z Finlandii.
Recepcjonistka: Przepraszam, ale nie zrozumiałam. Czy może
                pan powtórzyć lub przeliterować?
Jouni: Tossavainen – T jak Tomek, O jak Ola, dwa
                razy S jak Stefan, A jak Anna, V, A jak Anna,
                I jak Irena, N jak Natalia, E jak Ewa i N jak
                Natalia.
Recepcjonistka: Aaa, pan Tossavainen. Wszystko w porządku.
                Proszę wypełnić ten formularz. A to pana klucz.
                Pokój numer 102 (sto dwa) – pierwsze piętro.
Jouni: Dziękuję pani bardzo.
Recepcjonistka: Bardzo proszę. Życzę miłego pobytu!

🎧 Ćwiczenia / Activities

ĆWICZENIE 1 🎧10
Proszę słuchać i powtarzać. / Please listen and repeat.

Matthias: Masz już gdzie mieszkać, Soniu? . . . .
. . . . ?

Sonia: Tak. Mam wspaniałe mieszkanie! . . . .
. . . . !

Matthias: Gdzie?. . . . . ?

Sonia: Przy ulicy Fiołkowej. . . . .

Matthias: Gdzie to jest? . . . .? Daleko stąd?
. . . . ?

Sonia: Niedaleko, 15 (piętnaście) minut autobusem. . . . . .
. . . .

Matthias: Jakie jest to mieszkanie?. . . . .?

Sonia: Dwa pokoje i duża kuchnia. . . . .
. . . .

Matthias: Czy jest umeblowane? . . . .?

Sonia: Tak, ale mebli nie ma dużo. . . . .
W kuchni jest stół, ..., są szaf-
ki, kuchenka, lodówka. . . . .
W sypialni jest łóżko i szafa. . . . .
. . . . Poza tym tylko dwa fotele i biurko.
. . . .

Matthias: Czy masz telewizor? . . . .?

Sonia: Nie mam i nie chcę mieć! . . . .!
Wystarczy mi komputer i Internet. . . . .
. . . .

Matthias: Mieszkasz sama? . . . .?

Sonia: Nie, z koleżanką z Danii – Karen
. . . . A dlaczego pytasz, Matthias??? . . . .
. . . .???

Matthias: Wiesz, już ponad tydzień szukam mieszkania... . . . . .
. . . .

Sonia: I co? . . . .?

Matthias: I nie mogę znaleźć niczego, co mi pasuje. . . . .
. . . .

Sonia: Mogę ci pomóc, jeśli chcesz. . . . .
. . . . Wiem, jak to robić. . . . .

Matthias: O, to bardzo miło z twojej strony. . . . .
. . . . Będę ci bardzo wdzięczny! . . . .
. . . .!

ĆWICZENIE 2 🎧11

**Proszę słuchać i odegrać rolę Jouni. / Please listen and act
out the role of Jouni.**

Recepcjonistka: Dzień dobry panu.
Jouni: . . . .
Recepcjonistka: Jak się pan nazywa?
Jouni: . . . .
Recepcjonistka: Przepraszam, ale nie zrozumiałam. Czy może
pan powtórzyć lub przeliterować?
Jouni: . . . .
Recepcjonistka: Aaaa, pan Tossavainen. Wszystko w porządku.
Proszę wypełnić ten formularz. A to pana klucz.
Pokój numer 102 (sto dwa) – pierwsze piętro.
Jouni: . . . .
Recepcjonistka: Bardzo proszę. Życzę miłego pobytu!

! Phrases and expressions

- Do you have already a place to stay?
- Where is it?
- Is it far away?
- How big is the apartment? (*lit.* Is the apartment big?)
- What kind of flat is it?
- Two rooms and a kitchen.
- The flat is furnished.
- Do you have a TV set?
- I don't and I don't want one.
- A computer and the Internet are enough.
- I live with a (female) friend.
- And why are you asking?
- I'm looking for a flat.
- I can't find one.
- I can help you.
- I know how to do it.
- It's very kind of you!
- I have a room booked here.
- Sorry, but I didn't understand. (used by women)
  Sorry, but I didn't understand. (used by men)
- Can you repeat, please?
- Can you spell it, please?
- It's all right.
- Here's your key.
- Thank you very much.
- Certainly. (*lit.* Here you are.)
- Have a nice stay!

! Zwroty i wyrażenia (12)

- Masz już gdzie mieszkać?
- Gdzie to jest?
- Daleko stąd?
- Mieszkanie jest duże?
- Jakie jest to mieszkanie?
- Dwa pokoje i kuchnia.
- Mieszkanie jest umeblowane.
- Czy masz telewizor?
- Nie mam i nie chcę mieć.
- Wystarczy mi komputer i Internet.
- Mieszkam z koleżanką.
- A dlaczego pytasz?
- Szukam mieszkania.
- Nie mogę znaleźć.
- Mogę ci pomóc.
- Wiem, jak to robić.
- To bardzo miło z twojej strony!
- Mam tutaj zarezerwowany pokój.
- Przepraszam, ale nie zrozumiałam.
  Przepraszam, ale nie zrozumiałem.
- Czy może pan powtórzyć?
- Czy może pan przeliterować?
- Wszystko w porządku.
- To pana klucz.
- Dziękuję pani bardzo.
- Bardzo proszę.
- Życzę miłego pobytu!

Lesson 3

HELLO, WHO'S SPEAKING?

🗣 Dialogues

1. The phone's ringing in Tomek's house. Mr Malinowski, Tomek's father is answering the phone

Mr Malinowski: Hello?

Sonia: Hello, this is Sonia Dubois speaking. Is Tomek there?

Mr Malinowski: Just a moment, I'll ask him to come to the phone. Tomek, it's for you!

Tomek: Yes?

Sonia: Hi, Tomek! This is Sonia.

Tomek: Hi! How nice of you to call!

Sonia: Listen, I'd like to play tennis and I'm looking for a partner.

Tomek: To play tennis? Now?

Sonia: Not now. This afternoon.

Tomek: Today afternoon? But you know I work on Saturday afternoons.

Sonia: Oh, I'm sorry! I forgot. I'll give you a ring in the evening.

2. The phone's ringing at Maria's place

Maria: Yes?

Sonia: Hi, Maria. This is Sonia.

Maria: Hi, Sonia! What's up?

Sonia: What are you doing this afternoon, Maria? How about having a game of tennis with me?

Lekcja 3 — HALO, KTO MÓWI?

 **Dialogi**

1. W domu Tomka dzwoni telefon. Odbiera pan Malinowski, ⟨13⟩ ojciec Tomka

Pan Malinowski: Proszę, słucham.
Sonia: Dzień dobry. Mówi Sonia Dubois. Czy zastałam Tomka?
Pan Malinowski: Chwileczkę, już proszę. Tomek, to do ciebie!
Tomek: Tak, słucham.
Sonia: Cześć, Tomek! Mówi Sonia.
Tomek: Cześć! Jak miło, że dzwonisz!
Sonia: Słuchaj, chciałam iść na tenisa i szukam partnera.
Tomek: Na tenisa? Teraz?
Sonia: Nie teraz. Dzisiaj po południu.
Tomek: Dzisiaj po południu? Ale wiesz przecież, że ja pracuję w sobotę po południu.
Sonia: Och, przepraszam! Zapomniałam. Zadzwonię wieczorem.

2. U Marii dzwoni telefon ⟨14⟩

Maria: Tak, słucham.
Sonia: Cześć, Maria. Mówi Sonia.
Maria: Cześć, Sonia! Co u ciebie?
Sonia: Maria, co robisz dziś po południu? Może pójdziesz ze mną na tenisa?

Maria: This afternoon? No way. I have a translation to do. It must be ready by tomorrow, and I haven't started yet.

Sonia: I'm sorry to bother you then. Bye. See you on Monday!

3. Jouni's answering the phone and he's slightly nervous

Jouni: Hello? Who is speaking?

Sonia: This is Sonia. Hi!

Jouni: Hi.

Sonia: What are you doing, Jouni?

Jouni: What do you mean? I'm watching the game!

Sonia: What game?

Jouni: What game?!! The football game!

Sonia: And who's playing?

Jouni: You really don't know???

Sonia: No.

Jouni: This is unbelievable! Finland vs. Poland!

Sonia: And who's winning?

Jouni: Poland 1:0 (one to null)!!! How can I help you?

Sonia: It's nothing important. I'll give you a ring later. Take care!

4. The telephone's ringing, this time at Sonia's (who's nervous)

Sonia: Hello.

Matthias: Hi, Sonia! This is Matthias. What are you doing?

Sonia: Nothing. I'm just reading a stupid book and trying to learn some Polish.

Matthias: Oh, I'm sorry to bother you then. I'm just going to the tennis court, but if you are busy then forget it. See you on Monday. Bye!

Sonia: Matthias!!! Wait, I just wanted to... Oh, no!!!...

Maria: Dziś po południu? Nic z tego. Mam do zrobienia tłumaczenie. Musi być gotowe na jutro, a ja jeszcze nie
zaczęłam.

Sonia: To nie przeszkadzam. Cześć. Do zobaczenia w poniedziałek!

3. Jouni odbiera telefon, jest lekko zdenerwowany

Jouni: Halo, kto mówi?
Sonia: Tu Sonia. Cześć!
Jouni: Cześć.
Sonia: Co robisz, Jouni?
Jouni: Jak to, co? Oglądam mecz!
Sonia: Jaki mecz?
Jouni: Jak to, jaki?!! Piłkarski!
Sonia: A kto gra?
Jouni: Naprawdę nie wiesz???
Sonia: Nie.
Jouni: Nie do wiary! Finlandia – Polska!
Sonia: I kto prowadzi?
Jouni: Polska 1:0 (jeden – zero)!!! W czym ci mogę pomóc?
Sonia: To nic ważnego. Zadzwonię później. Trzymaj się!

4. Dzwoni telefon, tym razem u (zdenerwowanej) Soni

Sonia: Halo, słucham.
Matthias: Cześć, Sonia! Mówi Matthias. Co robisz?
Sonia: Nic. Czytam jakąś głupią książkę i próbuję się uczyć
polskiego.
Matthias: A, to nie przeszkadzam. Ja właśnie idę na kort, ale
jeżeli jesteś zajęta, no to trudno. Do zobaczenia w po-
niedziałek. Cześć!
Sonia: Matthias!!! Poczekaj, ja właśnie chciałam... O, nie!!!...

🎧 Ćwiczenia / Activities

ĆWICZENIE 1 🔊(17)
Proszę słuchać i powtarzać. / Please listen and repeat.

Pan Malinowski: Proszę, słucham. . . . .

Sonia: Dzień dobry. Mówi Sonia Dubois. . . . .
. . . . Czy zastałam Tomka?
. . . . ?

Pan Malinowski: Chwileczkę, już proszę. . . . .
. . . . . . Tomek, to do ciebie! . . . . !

Tomek: Tak, słucham. . . . .

Sonia: Cześć, Tomek! Mówi Sonia. . . . .
. . . .

Tomek: Cześć! Jak miło, że dzwonisz! . . . . !

Sonia: Słuchaj, chciałam iść na tenisa i szukam partnera. . . . .

Tomek: Na tenisa? Teraz? . . . . ?

Sonia: Nie teraz. . . . . Dzisiaj po południu.
. . . .

Tomek: Dzisiaj po południu? . . . . ?
Ale wiesz przecież, że ja pracuję w sobotę po
południu. . . . .

Sonia: Och, przepraszam! Zapomniałam. . . . .
Zadzwonię wieczorem. . . . .

ĆWICZENIE 2 🔊(18)
Proszę słuchać i odegrać rolę Soni. / Please listen and act out the role of Sonia.

Pan Malinowski: Proszę, słucham.

Sonia: . . . .

Pan Malinowski: Chwileczkę, już proszę. Tomek, to do ciebie!

Tomek: Tak, słucham.
Sonia: . . . .
Tomek: Cześć! Jak miło, że dzwonisz!
Sonia: . . . .
Tomek: Na tenisa? Teraz?
Sonia: . . . .
Tomek: Dzisiaj po południu? Ale wiesz przecież, że ja
           pracuję w sobotę po południu.
Sonia: . . . .

Maria: Tak, słucham.
Sonia: . . . .
Maria: Cześć, Sonia! Co u ciebie?
Sonia: . . . .?
Maria: Dziś po południu? Nic z tego. Mam do zrobie-
           nia tłumaczenie. Musi być gotowe na jutro, a ja
           jeszcze nie zaczęłam.
Sonia: . . . .!

ĆWICZENIE 3 (19)
Proszę słuchać i odegrać rolę Jouniego. / Please listen and act out the role of Jouni.

Jouni: . . . .?
Sonia: Tu Sonia. Cześć!
Jouni: . . . .
Sonia: Co robisz, Jouni?
Jouni: . . . .!
Sonia: Jaki mecz?
Jouni: . . . .!
Sonia: A kto gra?
Jouni: . . . .???
Sonia: Nie.
Jouni: . . . .!
Sonia: I kto prowadzi?
Jouni: . . . .?
Sonia: To nic ważnego. Zadzwonię później. Trzymaj się!

❗ Phrases and expressions

- Hello. This is Sonia speaking.
- Is Tomek there?
- Just a moment, I'll ask him to come to the phone.
- It's for you.
- How nice of you to call!
- I'd like to play tennis and I'm looking for a partner.
- This afternoon.
- I work on Saturday afternoons.
- Oh, I'm sorry! I forgot!
- I'll give you a ring in the evening.
- Hi, what's up?
- What are you doing this afternoon?
- No way.
- I'm sorry to bother you then.
- See you on Monday!
- Hello, who's speaking?
- You really don't know?
- This is unbelievable!
- It's nothing important.
- I'll give you a ring later.
- Take care!
- If you're busy, then forget it.
- Wait!
- Oh, no!!!...

! Zwroty i wyrażenia (20)

- Dzień dobry. Mówi Sonia.
- Czy zastałam Tomka?
- Chwileczkę, już proszę.
- To do ciebie.
- Jak miło, że dzwonisz!
- Chciałam iść na tenisa i szukam partnera.
- Dzisiaj po południu.
- Ja pracuję w sobotę po południu.
- O, przepraszam! Zapomniałam!
- Zadzwonię wieczorem.
- Cześć, co u ciebie?
- Co robisz dziś po południu?
- Nic z tego.
- To nie przeszkadzam.
- Do zobaczenia w poniedziałek!
- Halo, kto mówi?
- Naprawdę nie wiesz?
- Nie do wiary!
- To nic ważnego.
- Zadzwonię później.
- Trzymaj się!
- Jeżeli jesteś zajęta, to trudno.
- Poczekaj!
- O, nie!!!...

! Days of the week

DAY	WHEN?
Monday	on Monday
Tuesday	on Tuesday
Wednesday	on Wednesday
Thursday	on Thursday
Friday	on Friday
Saturday	on Saturday
Sunday	on Sunday

! Dni tygodnia

DZIEŃ	KIEDY?
poniedziałek	w poniedziałek
wtorek	we wtorek
środa	w środę
czwartek	w czwartek
piątek	w piątek
sobota	w sobotę
niedziela	w niedzielę

LEKCJA 3

Lesson 4

ENJOY THE MEAL!

💬 Dialogues

1. Tomek invites Sonia for dinner

Tomek: Sonia, it's my birthday tomorrow.
Sonia: Really?! Happy birthday, Tomek!
Tomek: I'd like to invite you for dinner.
Sonia: Thanks! Great! Where shall we go?
Tomek: I suggest the Staropolska restaurant. Their Polish cuisine is excellent.
Sonia: Very well! Where and when shall we meet?
Tomek: I'll pick you up at seven – is that fine?
Sonia: Sure, I'll be ready.

2. Tomek is calling the Staropolska restaurant to book a table

Mr Nowak: The Staropolska restaurant, Nowak speaking...
Tomek: Hello. I'd like to book a table.
Mr Nowak: For today?
Tomek: No, tomorrow night.
Mr Nowak: How many people?
Tomek: Two.
Mr Nowak: What time?
Tomek: Eight o'clock.
Mr Nowak: Your name, please?
Tomek: Malinowski.
Mr Nowak: Certainly. It's booked. See you tomorrow evening.
Tomek: Thank you and see you.

Lekcja 4 SMACZNEGO!

 **Dialogi**

1. Tomek zaprasza Sonię na kolację (21)

Tomek: Soniu, jutro są moje urodziny.
Sonia: Naprawdę?! Wszystkiego najlepszego, Tomku!
Tomek: Zapraszam cię na kolację.
Sonia: Dziękuję! Świetnie! Dokąd pójdziemy?
Tomek: Proponuję restaurację „Staropolska". Tam jest bardzo dobra polska kuchnia.
Sonia: Bardzo dobrze! Gdzie i kiedy się spotkamy?
Tomek: Przyjdę po ciebie o siódmej – może być?
Sonia: Dobrze, będę gotowa.

2. Tomek telefonuje do restauracji „Staropolska", żeby zarezerwować stolik (22)

Pan Nowak: Restauracja „Staropolska", Nowak, słucham...
Tomek: Dzień dobry. Chciałbym zarezerwować stolik.
Pan Nowak: Na dzisiaj?
Tomek: Nie, na jutro wieczorem.
Pan Nowak: Ile osób?
Tomek: Dwie.
Pan Nowak: Na którą godzinę?
Tomek: Na ósmą.
Pan Nowak: Na jakie nazwisko?
Tomek: Malinowski.
Pan Nowak: Bardzo proszę. Jest zarezerwowane. Do zobaczenia jutro wieczorem.
Tomek: Dziękuję panu. Do zobaczenia.

3. Sonia and Tomek are in the restaurant

Tomek: It's nice here, isn't it?
Sonia: Yes, very nice!
Tomek: What will you have?
Sonia: I don't know. What can you recommend?
Tomek: Their soups are excellent. I recommend mushroom soup
       or borscht.
Sonia: I'll try mushroom soup. And for the main course?
Tomek: Would you like some meat?
Sonia: No, I'd rather have fish.
Tomek: What about salmon and vegetables?
Sonia: All right. With pleasure. I like fish.
Tomek: And to drink?
Sonia: A dry, white wine of course!

Waiter: Hello. What will you have?
Sonia: Mushroom soup and salmon with vegetables for me,
       please.
Tomek: And for me borscht with croquette and salmon.
Waiter: Anything to drink?
Tomek: A dry, white wine, please.
Waiter: Is that all?
Tomek: For now, yes.

4. Tomek and Sonia are having dinner

Tomek: How's the mushroom soup?
Sonia: Very good. And your borscht?
Tomek: Excellent!
Waiter: Salmon for you, please. Enjoy the meal!
Sonia
and Tomek: Thank you!

3. Sonia i Tomek są w restauracji (23)

Tomek: Ładnie tu, prawda?
Sonia: Tak, bardzo ładnie!
Tomek: Na co masz ochotę?
Sonia: Nie wiem. Co możesz polecić?
Tomek: Mają tu dobre zupy. Proponuję grzybową albo barszcz.

Sonia: Spróbuję grzybowej. A co na drugie?
Tomek: Chcesz jakieś mięso?
Sonia: Nie, wolę rybę.
Tomek: Może łosoś z warzywami?
Sonia: Dobrze. Bardzo chętnie. Lubię ryby.
Tomek: A co do picia?
Sonia: Białe, wytrawne wino, oczywiście!

Kelner: Dzień dobry. Słucham państwa.
Sonia: Dla mnie zupa grzybowa i łosoś z warzywami.

Tomek: A dla mnie barszcz czerwony z krokietem i łosoś.
Kelner: Coś do picia?
Tomek: Jakieś białe, wytrawne wino, bardzo proszę.
Kelner: To wszystko?
Tomek: Na razie tak.

4. Tomek i Sonia jedzą kolację (24)

Tomek: Jak ci smakuje grzybowa?
Sonia: Bardzo dobra. A twój barszcz?
Tomek: Znakomity!
Kelner: Łosoś dla państwa. Bardzo proszę. Życzę państwu
        smacznego!
Sonia
i Tomek: Dziękujemy!

after a moment

Sonia: Yummy. This salmon is delicious! So soft and delicate.
Tomek: Yes, it's great indeed!
Sonia: Cheers, Tom! And happy birthday!
Tomek: Thank you!
Sonia: I've got a small gift for you. Here you are!
Tomek: Wow, thanks! What is it, a CD?
Sonia: Yes, my favorite guitar music. I hope you'll like it.

po chwili

Sonia: Mniam, mniam. Jaki pyszny ten łosoś! Taki miękki i delikatny.

Tomek: Rzeczywiście wspaniały!

Sonia: Twoje zdrowie, Tomku! Wszystkiego najlepszego w dniu urodzin!

Tomek: Dziękuję!

Sonia: Mam dla ciebie mały prezent. Bardzo proszę!

Tomek: Dziękuję! Co to jest, płyta?

Sonia: Tak. Moja ulubiona muzyka gitarowa. Mam nadzieję, że ci się spodoba.

🎧 Ćwiczenia / Activities

ĆWICZENIE 1 🎧25
Proszę słuchać i powtarzać. / Please listen and repeat.

Tomek: Soniu, jutro są moje urodziny. . . . .

Sonia: Naprawdę?! . . . .?! Wszystkiego najlepszego, Tomku! . . . . !

Tomek: Zapraszam cię na kolację. . . . .

Sonia: Dziękuję! . . . .! Świetnie! . . . . !
Dokąd pójdziemy? . . . .?

Tomek: Proponuję restaurację „Staropolska". . . . .
. . . . Tam jest bardzo dobra polska kuchnia. . . . .
. . . .

Sonia: Bardzo dobrze! . . . .! Gdzie i kiedy
się spotkamy? . . . .?

Tomek: Przyjdę po ciebie o siódmej . . . .
– może być? . . . .?

Sonia: Dobrze, będę gotowa. . . . .

ĆWICZENIE 2 🎧26
**Proszę słuchać i odegrać rolę Tomka. / Please listen and act
out the role of Tomek.**

Pan Nowak: Restauracja „Staropolska", Nowak, słucham...

Tomek: . . . .

Pan Nowak: Na dzisiaj?

Tomek: . . . .

Pan Nowak: Ile osób?

Tomek: . . . .

Pan Nowak: Na którą godzinę?

Tomek: . . . .

Pan Nowak: Na jakie nazwisko?

Tomek: . . . .
Pan Nowak: Bardzo proszę. Jest zarezerwowane. Do zobaczenia
            jutro wieczorem.
Tomek: . . . .

ĆWICZENIE 3 (27)
Proszę słuchać i powtarzać. / Please listen and repeat.

Tomek: Jak ci smakuje grzybowa? . . . .?
Sonia: Bardzo dobra. A twój barszcz? . . . .?
Tomek: Znakomity! . . . .!
Kelner: Łosoś dla państwa. Bardzo proszę. . . . .
        . . . . Życzę państwu smacznego! . . . .
        . . . .!
Sonia
i Tomek: Dziękujemy! . . . .!

Sonia: Mniam, mniam. Jaki pyszny ten łosoś! . . . .
        . . . .! Taki miękki i delikatny. . . . .
        . . . .
Tomek: Rzeczywiście wspaniały! . . . .!
Sonia: Twoje zdrowie, Tomku! . . . .!
        Wszystkiego najlepszego w dniu urodzin! . . . .
        . . . .!
Tomek: Dziękuję! . . . .!
Sonia: Mam dla ciebie mały prezent. . . . .
        Bardzo proszę! . . . .!
Tomek: Dziękuję! Co to jest, płyta? . . . .?
Sonia: Tak. Moja ulubiona muzyka gitarowa. . . . .
        . . . . Mam nadzieję, że ci się spodoba. . . . .
        . . . .

! Phrases and expressions

- I'd like to invite you for dinner!
- Where shall we go?
- Where and when shall we meet?
- I'll pick you up at seven – is that fine?
- All right, I'll be ready.
- I'd like to book a table for two people for eight o'clock.
- See you tomorrow evening!
- It's nice here, isn't it?
- What will you have?
- I don't know. What can you recommend?
- Their soups are excellent.
- And for the main course?
- Anything to drink?
- Is that all?
- For now, yes.
- Enjoy the meal!
- How's the meal?
- The soup's very good.
- Excellent borscht!
- Delicious salmon!
- Cheers!
- All the best!
- I've got a small gift for you.
- I hope you'll like it.

❗ Zwroty i wyrażenia 〈28〉

- Zapraszam cię na kolację!
- Dokąd pójdziemy?
- Gdzie i kiedy się spotkamy?
- Przyjdę po ciebie o siódmej – może być?
- Dobrze, będę gotowa.
- Chciałbym zarezerwować stolik: dwie osoby, na ósmą.
- Do zobaczenia jutro wieczorem!
- Ładnie tu, prawda?
- Na co masz ochotę?
- Nie wiem. Co możesz polecić?
- Mają tu dobre zupy.
- A co na drugie?
- Coś do picia?
- To wszystko?
- Na razie tak.
- Smacznego!
- Jak ci smakuje?
- Bardzo dobra zupa.
- Znakomity barszcz!
- Pyszny łosoś!
- Twoje zdrowie!
- Wszystkiego najlepszego!
- Mam dla ciebie mały prezent.
- Mam nadzieję, że ci się spodoba.

Lesson 5

TO THE RIGHT OR TO THE LEFT?

🗣 Dialogues

1. Karen's visiting Krakow

Karen: Excuse me, sir...

Mr X: Yes, please?

Karen: Is Wawel[1] far away from here?

Mr X: No, it's about 10 (ten) minutes away.

Karen: How can I get there?

Mr X: Please take the second turn on your right. That is Grodzka Street. Then go straight ahead until the end of the street. You will see Wawel on your right.

Karen: Thank you!

Mr X: You're welcome!

*

Karen: Excuse me, is this Grodzka Street? I'd like to get to Wawel.

Mr Y: No, madam, Grodzka is the next street.

Karen: This way?

Mr Y: Yes. Go straight ahead until the end of the street. There turn first left, and then right.

Karen: Thank you!

Mr Y: You're welcome.

---

[1] The Wawel hill in Krakow had been the centre of Polish secular and spiritual power since the beginnings of Polish history. In the year 1000 a bishopric was created in Krakow, and soon afterwards the first cathedral was erected on the Wawel hill, to be used as a coronation cathedral and a burial site of the Polish kings. Many leaders and important figures in Polish cultural history were also buried there (among them Adam Mickiewicz and Juliusz Słowacki). The Wawel castle was the residence of Polish kings since mid eleventh until the beginning of the seventeenth century. Today, it is one of the most magnificent examples of Renaissance architecture in Europe.

Lekcja 5

W PRAWO CZY W LEWO?

🗣 Dialogi

1. Karen zwiedza Kraków

Karen: Przepraszam pana...
Pan X: Tak, słucham.
Karen: Czy Wawel[1] jest daleko stąd?
Pan X: Nie, około 10 (dziesięciu) minut.
Karen: Jak tam dojść?
Pan X: Proszę skręcić w drugą ulicę w prawo. To będzie ulica
Grodzka. Potem proszę iść prosto do końca ulicy. Wawel
zobaczy pani po prawej stronie.
Karen: Dziękuję!
Pan X: Proszę bardzo!

*

Karen: Przepraszam, czy to jest ulica Grodzka? Chciałam dojść
na Wawel.
Pan Y: Nie, proszę pani, Grodzka jest następna.
Karen: Tędy?
Pan Y: Tak. Prosto do końca tej ulicy. Tam proszę skręcić najpierw
w lewo, potem w prawo.
Karen: Dziękuję!
Pan Y: Nie ma za co.

---

[1] Wzgórze wawelskie w Krakowie od zarania polskiej historii stanowiło centrum władzy
świeckiej i duchownej. W r. 1000 w Krakowie powstało biskupstwo, a wkrótce potem
wzniesiono na Wawelu pierwszą katedrę, która posłużyła jako katedra koronacyjna królów
Polski oraz miejsce ich wiecznego spoczynku. Pochowano tutaj także wielkich wodzów
oraz twórców polskiej kultury (m.in. Adama Mickiewicza i Juliusza Słowackiego). Zamek
wawelski służył władcom Polski jako rezydencja od połowy XI do początku XVII wieku.
Dzisiaj jest to jeden z najokazalszych zabytków architektury renesansowej w Europie.

2. Sonia's going swimming

Sonia: Tomek! I'd like to go to the swimming pool, but I don't know how to get there.

Tomek: Do you have a city map? I'll show you. The swimming pool is not far away. Go to the bus stop near the university.

Sonia: The bus stop near the university...

Tomek: There, get on the bus number 107 (a hundred and seven).

Sonia: Bus number 107 (a hundred and seven)...

Tomek: Get off at the bus stop past the roundabout.

Sonia: The bus stop past the roundabout...

Tomek: The swimming pool is opposite, on Kąpielowa Street.

Sonia: Isn't it possible to get there by tram?

Tomek: By tram? Let's see. Yes, it's possible, number eight runs there.

Sonia: Which tram stop should I get off at?

Tomek: One, two, three, four – at the fifth, right past the bridge.

Sonia: Write down the name of the street for me, please, OK?

Tomek: Sure. Kąpielowa Street.

Sonia: You buy tickets at a newsagent's, is that right?

Tomek: That's right, at a newsagent's.

Sonia: How much is a student ticket?

Tomek: 1.20 (one twenty).

2. Sonia wybiera się na basen (30)

Sonia: Tomek! Chciałabym pójść na basen, ale nie wiem, jak tam dojechać.

Tomek: Czy masz plan miasta? Pokażę ci. Basen jest niedaleko stąd. Pójdziesz na przystanek koło uniwersytetu.

Sonia: Przystanek koło uniwersytetu...

Tomek: Tam wsiądziesz do autobusu numer 107 (sto siedem).

Sonia: Autobus numer 107 (sto siedem)...

Tomek: Wysiądziesz na przystanku za rondem.

Sonia: Przystanek za rondem...

Tomek: Basen jest naprzeciwko, przy ulicy Kąpielowej.

Sonia: A czy nie można tam dojechać tramwajem?

Tomek: Tramwajem? Zaraz sprawdzimy. Można. Zobacz, jedzie tam ósemka.

Sonia: Na którym przystanku mam wysiąść?

Tomek: Raz, dwa, trzy, cztery – na piątym, zaraz za mostem.

Sonia: Zapisz mi nazwę ulicy, dobrze?

Tomek: Proszę bardzo. Ulica Kąpielowa.

Sonia: Bilety kupuje się w kiosku, tak?

Tomek: Tak, w kiosku.

Sonia: Ile kosztuje jeden bilet studencki?

Tomek: 1,20 (złoty dwadzieścia).

○ Ćwiczenia / Activities

ĆWICZENIE 1 (31)
Proszę słuchać i powtarzać to, co mówi Karen. / Please listen and repeat what Karen is saying.

Karen: Przepraszam pana.... . . . .

Pan X: Tak, słucham!

Karen: Czy Wawel jest daleko stąd? . . . .?

Pan X: Nie, około 10 (dziesięciu) minut.

Karen: Jak tam dojść? . . . .?

Pan X: Proszę skręcić w drugą ulicę w prawo. To będzie ulica Grodzka. Potem proszę iść prosto do końca ulicy. Wawel zobaczy pani po prawej stronie.

Karen: Dziękuję! . . . .!

Pan X: Proszę bardzo!

Karen: Przepraszam, czy to jest ulica Grodzka? . . . .? Chciałam dojść na Wawel. . . . .

Pan Y: Nie, proszę pani, Grodzka jest następna.

Karen: Tędy? . . . .?

Pan Y: Tak. Prosto do końca tej ulicy. Tam proszę skręcić najpierw w lewo, potem w prawo.

Karen: Dziękuję! . . . .!

Pan Y: Nie ma za co.

ĆWICZENIE 2 ⟨32⟩

Proszę słuchać i odegrać rolę Soni. / Please listen and act out the role of Sonia.

Sonia: . . . .

Tomek: Czy masz plan miasta? Pokażę ci. Basen jest niedaleko stąd. Pójdziesz na przystanek koło uniwersytetu.

Sonia: . . . .

Tomek: Tam wsiądziesz do autobusu numer 107 (sto siedem).

Sonia: . . . .

Tomek: Wysiądziesz na przystanku za rondem.

Sonia: . . . .

Tomek: Basen jest naprzeciwko, przy ulicy Kąpielowej.

Sonia: . . . .?

Tomek: Tramwajem? Zaraz sprawdzimy. Można. Zobacz, jedzie tam ósemka.

Sonia: . . . .?

Tomek: Raz, dwa, trzy, cztery – na piątym, zaraz za mostem.

Sonia: . . . .?

Tomek: Proszę bardzo. Ulica Kąpielowa.

Sonia: . . . .?

Tomek: Tak, w kiosku.

Sonia: . . . .?

Tomek: 1,20 (złoty dwadzieścia).

! Phrases and expressions

- Excuse me, Sir...
- Yes, please?
- How can I get there?
- Please turn right.
- Take the second turn on your right.
- Go straight ahead until the end of the street.
- This way?
- Yes, first to the left, and then to the right.
- I don't know how to get there.
- Do you have a city map?
- I'll show you.
- The swimming pool is not far away.
- Go to the (bus/tram) stop.
- Get on the bus number 107 (a hundred and seven).
- Get off the bus at the (bus/tram) stop past the roundabout.
- The swimming pool is opposite.
- Is it possible to get there by tram?
- Let's see.
- Look, number eight runs there.
- Which (bus/tram) stop should I get off at?
- At the fifth, right past the bridge.
- Write down the name of the street for me, please, OK?
- Sure!
- You can buy tickets at a newsagent's.
- How much is a ticket?
- One twenty.

! Zwroty i wyrażenia (33)

- Przepraszam pana...
- Tak, słucham.
- Jak tam dojść?
- Proszę skręcić w prawo.
- W drugą ulicę w prawo.
- Proszę iść prosto do końca ulicy.
- Tędy?
- Tak, najpierw w lewo, potem w prawo.
- Nie wiem, jak tam dojechać.
- Czy masz plan miasta?
- Pokażę ci.
- Basen jest niedaleko stąd.
- Pójdziesz na przystanek.
- Wsiądziesz do autobusu numer 107 (sto siedem).
- Wysiądziesz na przystanku za rondem.
- Basen jest naprzeciwko.
- Czy można tam dojechać tramwajem?
- Zaraz sprawdzimy.
- Zobacz, jedzie tam ósemka.
- Na którym przystanku mam wysiąść?
- Na piątym, zaraz za mostem.
- Zapisz mi nazwę ulicy, dobrze?
- Proszę bardzo!
- Bilety kupuje się w kiosku.
- Ile kosztuje jeden bilet?
- Złoty dwadzieścia.

HOW MUCH IS IT?

 **Dialogues**

1. At a newsagent's

Matthias: Hello.

Woman: Hello, sir.

Matthias: I would like three postcards from Krakow, cigarettes "Ultra" and a lighter.

Woman: Here you are. Please choose the postcards and the lighter.

Matthias: These three postcards, please. Can I buy stamps here?

Woman: I'm afraid not, you can buy stamps only at a post office.

Matthias: And a phone card?

Woman: A mobile or a payphone card?

Matthias: A payphone card.

Woman: Yes. There are cards for 15 (fifteen) or 30 (thirty) units.

Matthias: Can I use this card to call abroad?

Woman: Yes, of course!

Matthias: How much is a card for 30 (thirty) units?

Woman: 24 (twenty four) złotys.

Matthias: I'll have this card, cigarettes and this small lighter.

Woman: Anything else?

Matthias: That's all. How much do I pay?

Woman: 33.20 (thirty three twenty).

Lekcja 6   ILE TO KOSZTUJE?

🗣 Dialogi

1. W kiosku

Matthias: Dzień dobry.

Pani: Dzień dobry panu.

Matthias: Proszę trzy widokówki z Krakowa, papierosy „Ultra" i zapalniczkę.

Pani: Bardzo proszę. Proszę wybrać widokówki i zapalniczkę.

Matthias: Te trzy widokówki proszę. Czy mogę tutaj kupić znaczki?

Pani: Niestety nie, znaczki są tylko na poczcie.

Matthias: A kartę telefoniczną?

Pani: Do telefonu komórkowego czy automatu?

Matthias: Do automatu.

Pani: Tak. Są karty na 15 (piętnaście) i 30 (trzydzieści) impulsów.

Matthias: Czy mogę z tej karty zadzwonić za granicę?

Pani: Tak, oczywiście!

Matthias: Ile kosztuje karta na 30 (trzydzieści) impulsów?

Pani: 24 (dwadzieścia cztery) złote.

Matthias: Proszę taką kartę, papierosy i tę małą zapalniczkę.

Pani: Czy coś jeszcze?

Matthias: To wszystko. Ile płacę?

Pani: 33,20 (trzydzieści trzy dwadzieścia).

2. At a post office

Matthias: A stamp for a letter to Germany, please.
Woman: For a registered, ordinary or express letter?
Matthias: For an ordinary one.
Woman: 2.40 (two złotys forty grosz).
Matthias: I would also like to send this parcel to Sweden.
Woman: Fill in this form, please. (*after a moment*) The parcel weighs 4 (four) kilograms, so it will cost 84 (eighty four) złotys.

3. At a watchmaker's

Sonia: Hello.
Watchmaker: Hello, madam. How can I help you?
Sonia: My watch stopped working. Can you check the battery?
Watchmaker: Certainly. Let's see. (*lit.* We'll check it.) Yes. The battery has to be changed.
Sonia: All right. How much will that cost?
Watchmaker: The battery – 20 (twenty) złotys, the change – 5 (five). That'll be 25 (twenty five) złotys altogether.
Sonia: OK, I would also like a new strap for this watch. The one I have is already very old.
Watchmaker: Please choose something. I suggest these here, 22 (twenty two) złotys each, or those made of genuine leather for 34.90 (thirty four ninety).
Sonia: I like the black one.
Watchmaker: Here you are. That'll be 59.90 (fifty nine ninety).

Sonia: Can I pay with a Visa card? I don't have enough złotys.
Watchmaker: I'm afraid not. We accept only cash. But there's an exchange office right next door.
Sonia: In that case I'll go to the exchange office and I'll be right back.
Watchmaker: All right. The watch will be ready.

2. Na poczcie (35)

Matthias: Proszę znaczek na list do Niemiec.
Pani: List polecony, zwykły czy priorytetowy?
Matthias: Zwykły.
Pani: 2,40 (dwa złote czterdzieści groszy).
Matthias: Chciałbym też wysłać tę paczkę do Szwecji.
Pani: Proszę wypełnić przekaz. (*po chwili*) Paczka waży
          4 (cztery) kilogramy, więc będzie kosztować 84 (osiem-
          dziesiąt cztery) złote.

3. U zegarmistrza (36)

Sonia: Dzień dobry.
Zegarmistrz: Dzień dobry pani. W czym mogę pomóc?
Sonia: Mój zegarek nie chodzi. Czy może pan sprawdzić
              baterię?
Zegarmistrz: Oczywiście. Zaraz sprawdzimy. Tak. Trzeba wymie-
              nić baterię.
Sonia: Bardzo proszę. Ile to będzie kosztować?
Zegarmistrz: Bateria 20 (dwadzieścia) złotych, wymiana 5 (pięć).
              Razem 25 (dwadzieścia pięć) złotych.
Sonia: Dobrze, proszę też nowy pasek do tego zegarka.
              Ten mój jest już bardzo stary.
Zegarmistrz: Proszę coś wybrać. Proponuję te tutaj, po 22 (dwa-
              dzieścia dwa) złote albo te z naturalnej skóry, po
              34,90 (trzydzieści cztery dziewięćdziesiąt).
Sonia: Podoba mi się ten czarny.
Zegarmistrz: Bardzo proszę. Razem będzie 59,90 (pięćdziesiąt
              dziewięć dziewięćdziesiąt).
Sonia: Czy mogę zapłacić kartą Visa? Nie mam tylu złotó-
              wek.
Zegarmistrz: Niestety nie. Przyjmujemy tylko gotówkę, ale kantor
              wymiany walut jest tutaj obok.
Sonia: W takim razie pójdę do kantoru i zaraz wrócę.

Zegarmistrz: Proszę bardzo. Zegarek będzie gotowy.

🎧 Ćwiczenia / Activities

ĆWICZENIE 1 🔊37

Proszę słuchać i powtarzać to, co mówi Matthias. / Please listen to the dialogue and repeat what Matthias is saying.

Matthias: Dzień dobry. . . . .
Pani: Dzień dobry panu.
Matthias: Proszę trzy widokówki z Krakowa, ...,
          papierosy „Ultra" i zapalniczkę. . . . .
Pani: Bardzo proszę. Proszę wybrać widokówki i zapal-
        niczkę.
Matthias: Te trzy widokówki proszę. . . . . Czy
          mogę tutaj kupić znaczki?. . . . .?
Pani: Niestety nie, znaczki są tylko na poczcie.
Matthias: A kartę telefoniczną? . . . .?
Pani: Do telefonu komórkowego czy automatu?
Matthias: Do automatu. . . . .
Pani: Tak. Są karty na 15 (piętnaście) i 30 (trzydzieści) im-
        pulsów.
Matthias: Czy mogę z tej karty zadzwonić za granicę? . . . .
          . . . .?
Pani: Tak, oczywiście!
Matthias: Ile kosztuje karta na 30 (trzydzieści) impulsów? . . . .
          . . . .?
Pani: 24 (dwadzieścia cztery) złote.
Matthias: Proszę taką kartę, papierosy i tę małą zapalniczkę. . .
          . . . .
Pani: Czy coś jeszcze?
Matthias: To wszystko. Ile płacę? . . . .?
Pani: 33,20 (trzydzieści trzy dwadzieścia).

ĆWICZENIE 2 🎧38

Proszę słuchać i powtarzać to, co mówi Matthias. / Please listen to the dialogue and repeat what Matthias is saying.

Matthias: Proszę znaczek na list do Niemiec. . . . .
. . . . .

Pani: List polecony, zwykły czy priorytetowy?
Matthias: Zwykły. . . . .
Pani: 2,40 (dwa złote czterdzieści groszy).
Matthias: Chciałbym też wysłać tę paczkę do Szwecji. . . . .
. . . .

Pani: Proszę wypełnić przekaz. (*po chwili*) Paczka waży
           4 (cztery) kilogramy, więc będzie kosztować 84 (osiem-
           dziesiąt cztery) złote.

ĆWICZENIE 3 🎧39

Proszę odegrać rolę Soni. / Please listen and act out the role of Sonia.

Sonia: . . . .
Zegarmistrz: Dzień dobry pani. W czym mogę pomóc?
Sonia: . . . .?
Zegarmistrz: Oczywiście. Zaraz sprawdzimy. Tak. Trzeba wymie-
              nić baterię.
Sonia: . . . .?
Zegarmistrz: Bateria 20 (dwadzieścia) złotych, wymiana 5 (pięć).
              Razem 25 (dwadzieścia pięć) złotych.

! Phrases and expressions

- Can I buy stamps here?
- Do you have phone cards here?
- Can I use this card to call abroad?
- How much is this card?
- I'll have this small lighter.
- That's all. How much do I pay?
- A stamp for a letter to Germany, please.
- I'd like to send this parcel to Sweden.
- Hello! How can I help you?
- Can you check the battery?
- Certainly!
- How much will that cost?
- Please choose something.
- I suggest these here.
- I like the black one.
- I don't have enough złotys.
- Can I pay with a Visa card?
- I'm afraid not.
- The exchange office is right next door.
- I'll be right back.

! Zwroty i wyrażenia (40)

- Czy mogę tutaj kupić znaczki?
- Czy ma pani tutaj karty telefoniczne?
- Czy mogę z tej karty dzwonić za granicę?
- Ile kosztuje ta karta?
- Proszę tę małą zapalniczkę.
- To wszystko. Ile płacę?
- Proszę znaczek na list do Niemiec.
- Chciałbym wysłać tę paczkę do Szwecji.
- Dzień dobry! W czym mogę pomóc?
- Czy może pan sprawdzić baterię?
- Oczywiście!
- Ile to będzie kosztować?
- Proszę coś wybrać.
- Proponuję te tutaj.
- Podoba mi się ten czarny.
- Nie mam tylu złotówek.
- Czy mogę zapłacić kartą Visa?
- Niestety nie.
- Kantor wymiany walut jest tutaj obok.
- Zaraz wrócę.

! How much is it? / Ile to kosztuje?

PIENIĄDZE I CENY / MONEY AND PRICES 🎧41

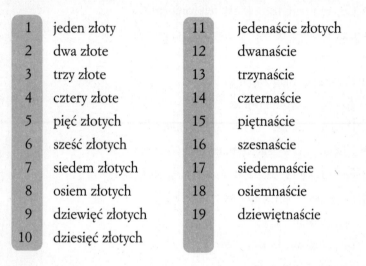

1	jeden złoty	11	jedenaście złotych
2	dwa złote	12	dwanaście
3	trzy złote	13	trzynaście
4	cztery złote	14	czternaście
5	pięć złotych	15	piętnaście
6	sześć złotych	16	szesnaście
7	siedem złotych	17	siedemnaście
8	osiem złotych	18	osiemnaście
9	dziewięć złotych	19	dziewiętnaście
10	dziesięć złotych		

20	dwadzieścia złotych	22–24 złote	25–29 złotych
30	trzydzieści		
40	czterdzieści		
50	pięćdziesiąt		
60	sześćdziesiąt		
70	siedemdziesiąt		
80	osiemdziesiąt		
90	dziewięćdziesiąt		

100	sto złotych
200	dwieście
300	trzysta
400	czterysta
500	pięćset
600	sześćset
700	siedemset
800	osiemset
900	dziewięćset

1000	tysiąc złotych
2000	dwa tysiące
3000	trzy tysiące
4000	cztery tysiące
5000	pięć tysięcy

Lesson 7

LET'S GO
TO THE CINEMA!

🗣 Dialogues

1. Jouni is calling Karen. Sonia is answering the phone

Sonia: Hello.

Jouni: Hi, Sonia! This is Jouni. Is Karen there?

Sonia: Yes. Here she is. Karen, it's for you! Jouni.

Karen: Thank you. Hi Jouni!

Jouni: Listen, Karen. What are you doing tomorrow evening?

Karen: Tomorrow...? I have classes, why are you asking?

Jouni: There's a premiere at the Studio Theatre tomorrow. A new play by Głowacki[3] is on. They say it's brilliant! I've got an invitation for two people – will you go with me?

Karen: What time?

Jouni: At 7:15 (a quarter past seven).

Karen: I'm afraid I can't. I have classes until eight.

Jouni: What a pity!

Karen: I'm really very sorry, Jouni. And what are you doing on Friday?

Jouni: In the evening? Nothing much.

---

[3] Janusz Głowacki – a playwright, novelist and screenwriter and an author of film scripts, since 1983 an inhabitant of New York. His play *Cinders*, staged in 1984 by one of New York's best theatres – the Joseph Papp Public Theatre, directed by John Madden (*Shakespeare in Love*) and with Oscar winner Christopher Walken in the main role set him on the path of triumphs in theatres around the world. His plays are performed from New York, Los Angeles, Las Vegas, Toronto, London, Marseilles, Sydney and Bonn to Prague, Warsaw, Moscow, St. Petersburg, Dagestan, Seul and Taipei. Other plays: *Antigone in New York*, *Hunting Cockroaches*, and the most recent *The Fourth Sister*.

Lekcja 7 CHODŹMY DO KINA!

 Dialogi

1. Jouni dzwoni do Karen. Telefon odbiera Sonia

Sonia: Proszę, słucham.
Jouni: Cześć, Sonia! Mówi Jouni. Czy jest Karen?
Sonia: Jest. Już proszę. Karen, to do ciebie! Jouni.
Karen: Dziękuję. Cześć, Jouni!
Jouni: Cześć, Karen. Słuchaj, co robisz jutro wieczorem?
Karen: Jutro...? Mam zajęcia, a dlaczego pytasz?
Jouni: W Teatrze Studio jest jutro premiera. Grają nową sztukę Głowackiego[2]. Podobno genialna! Mam zaproszenie na dwie osoby – pójdziesz ze mną?
Karen: O której godzinie?
Jouni: O 19:15 (siódmej piętnaście).
Karen: Niestety, nie mogę. Do ósmej mam zajęcia.
Jouni: Jaka szkoda!
Karen: Bardzo mi przykro, Jouni, naprawdę. A co ty robisz w piątek?
Jouni: Wieczorem? Nic specjalnego.

---

[2] Janusz Głowacki – dramaturg, prozaik, autor scenariuszy filmowych. Od 1983 mieszka w Nowym Jorku. Jego sztuka *Kopciuch*, wystawiona w 1984 r. przez jeden z najlepszych nowojorskich teatrów – Joseph Papp Public Theatre, w reżyserii Johna Maddena (*Zakochany Szekspir*) z laureatem Oscara Christopherem Walkenem w roli głównej, rozpoczęła triumfalną drogę Głowackiego po teatrach całego świata. Jego sztuki grane są od Nowego Jorku, Los Angeles, Las Vegas, Toronto, Londynu, Marsylii, Sydney i Bonn po Pragę, Warszawę, Moskwę, Sankt Petersburg, Dagestan, Seul i Tajpej. Inne sztuki: *Antygona w Nowym Jorku*, *Polowanie na karaluchy*, i najnowsza *Czwarta siostra*.

Karen: Sonia and I are going to the cinema. Will you join us? (*lit.* Will you go with us?)

Jouni: I'd love to. What do you want to see?

Karen: I've heard the new film by Almodóvar is on. I just don't know where and when. I'll check it and I'll call you later.

Jouni: Fine.

Karen: Great. See you then!

2. Matthias and Maria have been to a concert together

Matthias: How did you like it?

Maria: A wonderful concert! I like that kind of music very much, and they played really well.

Matthias: Do you like jazz?

Maria: Yes, very much!

Matthias: Do you play any musical instrument?

Maria: I play the guitar a little.

Matthias: You had a good idea to go to the concert! I liked it, too.

Maria: I'm really glad!

Matthias: How about going to the gallery together, too?

Maria: Which one?

Matthias: To the one in the Palace of Arts. There's a new exhibition of Polish art.

Maria: OK, but I know very little about it (*lit.* on this subject).

Matthias: That's no problem. It's a good chance to learn. So, when are we going?

Maria: How about Sunday afternoon?

Matthias: Perfect! I'll check what time they are closing (*lit.* until what time it's open).

Karen: Ja i Sonia wybieramy się do kina. Pójdziesz z nami?

Jouni: Chętnie. Na co?

Karen: Słyszałam, że grają już ten nowy film Almodóvara. Nie wiem tylko, gdzie i kiedy. Sprawdzę i zadzwonię do ciebie później.

Jouni: Dobrze.

Karen: Fajnie. To na razie!

2. Matthias i Maria byli razem na koncercie (43)

Matthias: Jak ci się podobało?

Maria: Wspaniały koncert! Bardzo lubię taką muzykę, a oni grali naprawdę dobrze.

Matthias: Lubisz jazz?

Maria: Tak, bardzo!

Matthias: Grasz na czymś?

Maria: Trochę na gitarze.

Matthias: Miałaś dobry pomysł z tym koncertem! Mnie też się podobało.

Maria: Bardzo się cieszę!

Matthias: A może pójdziemy też razem do galerii?

Maria: Do której?

Matthias: Do tej w Pałacu Sztuki. Jest nowa wystawa sztuki polskiej.

Maria: Dobrze, ale ja niewiele wiem na ten temat.

Matthias: To nic nie szkodzi. Będzie dobra okazja, żeby się dowiedzieć. To co, kiedy idziemy?

Maria: Może w niedzielę po południu?

Matthias: Doskonale! Sprawdzę, do której jest otwarte.

⌢ Ćwiczenia / Activities

ĆWICZENIE 1 ⌢44
Proszę słuchać i powtarzać. / Please listen and repeat.

Sonia: Proszę, słucham. . . . .
Jouni: Cześć, Sonia! . . . .! Mówi Jouni.
   Czy jest Karen? . . . .?
Sonia: Jest. Już proszę. . . . . Karen, to do ciebie!
   Jouni. . . . .
Karen: Dziękuję. Cześć, Jouni! . . . .!
Jouni: Cześć, Karen. Słuchaj, co robisz jutro wieczorem? . . . . .
   . . . .?
Karen: Jutro...? Mam zajęcia, a dlaczego pytasz? . . . .
   . . . . .?
Jouni: W Teatrze Studio jest jutro premiera. . . . .
   Grają nową sztukę Głowackiego. . . . .
   Podobno genialna! Mam zaproszenie na dwie osoby.
   . . . . – pójdziesz ze mną? . . . .
   . . . .?
Karen: O której godzinie? . . . .?
Jouni: O 19:15 (siódmej piętnaście). . . . .
Karen: Niestety, nie mogę. . . . . Do ósmej
   mam zajęcia. . . . .
Jouni: Jaka szkoda! . . . .!
Karen: Bardzo mi przykro, Jouni, naprawdę. . . . .
   A co ty robisz w piątek? . . . .?
Jouni: Wieczorem? Nic specjalnego. . . . .
Karen: Ja i Sonia wybieramy się do kina. . . . .
   Pójdziesz z nami? . . . .?
Jouni: Chętnie. Na co? . . . .?

Karen: Słyszałam, że grają już ten nowy film Almodóvara, ...
. . . . , nie wiem tylko, gdzie i kiedy. . . . . . .
. . . . Sprawdzę i zadzwonię do ciebie później.
. . . .
Jouni: Dobrze. . . . .
Karen: Fajnie. To na razie! . . . .!

ĆWICZENIE 2 (45)
Proszę słuchać i odegrać rolę Karen. / Please listen and act out the role of Karen.

Jouni: Cześć, Karen. Słuchaj, co robisz jutro wieczorem?
Karen: . . . .?
Jouni: W Teatrze Studio jest jutro premiera. Grają nową sztukę Głowackiego. Podobno genialna! Mam zaproszenie na dwie osoby – pójdziesz ze mną?
Karen: . . . .?
Jouni: O 19:15 (siódmej piętnaście).
Karen: . . . .
Jouni: Jaka szkoda!
Karen: . . . .?
Jouni: Wieczorem? Nic specjalnego.
Karen: . . . .?
Jouni: Chętnie. Na co?
Karen: . . . .
Jouni: Dobrze.
Karen: . . . .!

ĆWICZENIE 3 (46)

Proszę słuchać i odegrać rolę Marii. / Please listen and act out the role of Maria.

Matthias: Jak ci się podobało?
Maria: . . . .
Matthias: Lubisz jazz?
Maria: . . . .!
Matthias: Grasz na czymś?
Maria: . . . .
Matthias: Miałaś dobry pomysł z tym koncertem! Mnie też się podobało.
Maria: . . . .!
Matthias: A może pójdziemy też razem do galerii?
Maria: . . . .?
Matthias: Do tej w Pałacu Sztuki. Jest nowa wystawa sztuki polskiej.
Maria: . . . .
Matthias: To nic nie szkodzi. Będzie dobra okazja, żeby się dowiedzieć. To co, kiedy idziemy?
Maria: . . . .?
Matthias: Doskonale! Sprawdzę, do której jest otwarte.

✎ Notes / Notatki

! Phrases and expressions

- Yes, please?
- Hi Sonia. This is Jouni. Is Karen there?
- Yes. Here she is.
- It's for you!
- Listen, what are you doing tomorrow evening?
- I've got an invitation to the theatre – will you go with me?
- What time does it start?
- I'm afraid I can't. I have classes.
- What a pity!
- I'm really very sorry!
- What are you doing Friday evening?
- Nothing much.
- We're going to the cinema. Will you join us?
- I'd love to.
- I'll call you later.
- How did you like it?
- I like such music very much.
- Do you play any musical instrument?
- I play the guitar a little.
- How about going to the gallery together?
- There's a new exhibition.
- I know very little about it (*lit.* on this subject).
- This is not a problem.
- So when are we going?
- How about Sunday afternoon?
- Perfect!

! Zwroty i wyrażenia (47)

- Proszę, słucham.
- Cześć, Sonia. Mówi Jouni. Czy jest Karen?
- Jest. Już proszę.
- To do ciebie!
- Słuchaj, co robisz jutro wieczorem?
- Mam zaproszenie do teatru – pójdziesz ze mną?
- O której godzinie?
- Niestety, nie mogę. Mam zajęcia.
- Jaka szkoda!
- Bardzo mi przykro, naprawdę!
- Co robisz w piątek wieczorem?
- Nic specjalnego.
- Wybieramy się do kina. Pójdziesz z nami?
- Chętnie.
- Zadzwonię później.
- Jak ci się podobało?
- Bardzo lubię taką muzykę.
- Grasz na czymś?
- Gram trochę na gitarze.
- Pójdziemy razem do galerii?
- Jest nowa wystawa.
- Niewiele wiem na ten temat.
- To nic nie szkodzi.
- To co, kiedy idziemy?
- Może w niedzielę po południu?
- Doskonale!

Lesson 8   HAVE A NICE JOURNEY!

◖◗ Dialogues

1. At a railway station. At enquiries

Tomek:	Hello, madam. How can I get from Krakow to Augustów?
Woman at enquiries:	It's best to go via Warsaw.
Tomek:	And what are the best connections?
Woman at enquiries:	In the morning or in the evening?
Tomek:	In the morning or before noon.
Woman at enquiries:	Just a moment... Let me see... At 10:05 a.m. you have an InterCity train to Warsaw, Warszawa Centralna station. From there, there is a fast train to Augustów at 1:30 p.m.
Tomek:	What time will we be there?
Woman at enquiries:	You'll be in Augustów at 4:55 p.m.
Tomek:	This is a very good connection. Thank you for the information.

Lekcja 8   MIŁEJ PODRÓŻY!

 Dialogi

1. Na dworcu kolejowym. W informacji (48)

Tomek:	Dzień dobry! Proszę pani, jak można dojechać z Krakowa do Augustowa?
Pani w informacji:	Najlepiej przez Warszawę.
Tomek:	A jakie są najlepsze połączenia?
Pani w informacji:	Rano czy wieczorem?
Tomek:	Rano albo przed południem.
Pani w informacji:	Chwileczkę... Zaraz sprawdzę... O 10:05 ma pan InterCity do Warszawy Centralnej. Stamtąd o 13:30 jest pośpieszny do Augustowa.
Tomek:	O której będziemy na miejscu?
Pani w informacji:	W Augustowie o 16:55.
Tomek:	To bardzo dobre połączenie. Dziękuję pani za informację.

2. At a ticket office

Tomek: I'd like two student tickets for an InterCity train to Warsaw, for Saturday, five past ten in the morning, and from there to Augustów for a fast train.

Woman
at the ticket office: Which class?

Tomek: Second, for non-smokers, by the window if possible.

3. On the platform

Voice (from the speaker): The InterCity train to Warsaw (station Warszawa Centralna) scheduled to leave at 10:05 is standing on track four, platform two.

Tomek: Sonia, hurry up, please, our train's already waiting.

Sonia: And what time is it?

Tomek: It's already eight to ten.

Sonia: Take it easy, we'll make it. We have still thirteen minutes left.

Tomek: I still want to buy something to drink and some newspapers.

Sonia: Which car do we have seats in?

Tomek: Car number 7 (seven), seats numbers 56 (fifty six) and 58 (fifty eight).

2. W kasie biletowej (49)

Tomek: Proszę dwa bilety studenckie na InterCity do Warszawy, na sobotę o dziesiątej pięć rano, z połączeniem do Augustowa na pociąg pośpieszny.

Pani
w kasie: Która klasa?
Tomek: Druga, dla niepalących, przy oknie, jeśli można.

3. Na peronie (50)

Głos: Pociąg InterCity do Warszawy Centralnej – planowy odjazd godzina 10:05 – stoi na torze czwartym przy peronie drugim.

Tomek: Soniu, pośpiesz się proszę, nasz pociąg już czeka.
Sonia: A która jest godzina?
Tomek: Już za osiem dziesiąta.
Sonia: Spokojnie, zdążymy. Mamy jeszcze trzynaście minut.

Tomek: Chcę jeszcze kupić coś do picia i jakieś gazety.

Sonia: W którym wagonie mamy miejsca?
Tomek: Wagon numer 7 (siedem), miejsca numer 56 (pięćdziesiąt sześć) i 58 (pięćdziesiąt osiem).

🎧 Ćwiczenia / Activities

ĆWICZENIE 1 🔘51

Proszę słuchać i powtarzać to, co mówi Tomek. / Please listen and repeat what Tomek is saying.

Tomek: Dzień dobry! . . . .! Proszę pani, jak można dojechać z Krakowa do Augustowa? . . . .?

Pani
w informacji: Najlepiej przez Warszawę.

Tomek: A jakie są najlepsze połączenia? . . . .?

Pani
w informacji: Rano czy wieczorem?

Tomek: Rano albo przed południem. . . . .

Pani
w informacji: Chwileczkę... Zaraz sprawdzę... O 10:05 ma pan InterCity do Warszawy Centralnej. Stamtąd o 13:30 jest pośpieszny do Augustowa.

Tomek: O której będziemy na miejscu? . . . .?

Pani
w informacji: W Augustowie o 16:55.

Tomek: To bardzo dobre połączenie. . . . . Dziękuję pani za informację. . . . .

Tomek: Proszę dwa bilety studenckie na InterCity do Warszawy, ..., na sobotę o dziesiątej pięć rano, ..., z połączeniem do Augustowa na pociąg pośpieszny. . . . .

Pani
w kasie. Która klasa?

Tomek: Druga, dla niepalących, ..., przy oknie, jeśli można. . . . .

LESSON 8

ĆWICZENIE 2 🎧52

Proszę słuchać i odegrać rolę Tomka. / Please listen and act out the role of Tomek.

Tomek: . . . .?
Pani
w informacji: Najlepiej przez Warszawę.
Tomek: . . . .?
Pani
w informacji: Rano czy wieczorem?
Tomek: . . . .
Pani
w informacji: Chwileczkę... Zaraz sprawdzę... O 10:05 ma pan
                 InterCity do Warszawy Centralnej. Stamtąd o 13:30
                 jest pośpieszny do Augustowa.
Tomek: . . . .?
Pani
w informacji: W Augustowie o 16:55.
Tomek: . . . .

ĆWICZENIE 3 🎧53

Proszę słuchać i powtarzać. / Please listen and repeat.

Tomek: Soniu, pośpiesz się proszę, ..., nasz
        pociąg już czeka. . . . .
Sonia: A która jest godzina? . . . .?
Tomek: Już za osiem dziesiąta. . . . .
Sonia: Spokojnie, zdążymy. Mamy
        jeszcze trzynaście minut. . . . .
Tomek: Chcę jeszcze kupić coś do picia i jakieś gazety. . . . .
        . . . .
Sonia: W którym wagonie mamy miejsca? . . . .?
Tomek: Wagon numer 7 (siedem), ...,
        miejsca numer 56 (pięćdziesiąt sześć) i 58 (pięćdziesiąt
        osiem). . . . .

! Phrases and expressions

- How can I get there?
- What are the best connections?
- In the morning / before noon / at noon / in the afternoon / in the evening / at night.
- Just a moment, let me see.
- What time will we be there?
- It's a very good connection.
- Two tickets for an express train to Warsaw, please.
- Which class?
- Second, for non-smokers, at the window if possible.
- Hurry up, please!
- Take it easy, we'll make it.
- I still want to buy something to drink and some newspapers.
- Which car do we have seats in?
- Car number 7, seats 56 and 58.

! Zwroty i wyrażenia (54)

- Jak można tam dojechać?
- Jakie są najlepsze połączenia?
- Rano / przed południem / w południe / po południu / wieczorem / w nocy.
- Chwileczkę, zaraz sprawdzę.
- O której będziemy na miejscu?
- To bardzo dobre połączenie.
- Proszę dwa bilety na ekspres do Warszawy.
- Która klasa?
- Druga, dla niepalących, przy oknie, jeśli można.
- Pośpiesz się, proszę!
- Spokojnie, zdążymy.
- Chcę jeszcze kupić coś do picia i jakieś gazety.
- W którym wagonie mamy miejsca?
- Wagon numer 7, miejsca numer 56 i 58.

! Telling time / Określenia czasu

Która (jest) godzina? / What time is it? 55

pierwsza (trzynasta)	druga (czternasta)	trzecia (piętnasta)	czwarta (szesnasta)

piąta (siedemnasta)	szósta (osiemnasta)	siódma (dziewiętnasta)	ósma (dwudziesta)

dziewiąta (dwudziesta pierwsza)	dziesiąta (dwudziesta druga)	jedenasta (dwudziesta trzecia)	dwunasta (dwudziesta czwarta) (południe) (północ)

Która (to) godzina? / What time is it? 56

10:05 – pięć po dziesiątej rano / dziesiąta zero pięć
10:53 – za siedem jedenasta / dziesiąta pięćdziesiąt trzy
11:58 – za dwie dwunasta / jedenasta pięćdziesiąt osiem
13:30 – wpół do drugiej / trzynasta trzydzieści
16:55 – za pięć piąta po południu / szesnasta pięćdziesiąt pięć
19:15 – piętnaście (kwadrans) po siódmej wieczorem /
dziewiętnasta piętnaście
23:35 – pięć po wpół do dwunastej w nocy / dwudziesta trzecia
trzydzieści pięć

O której (godzinie) jest pociąg? / What time is the train?

o pierwszej   o drugiej   o trzeciej   o czwartej
(o trzynastej)   (o czternastej)   (o piętnastej)   (o szesnastej)

o piątej   o szóstej   o siódmej   o ósmej
(o siedemnastej) (o osiemnastej) (o dziewiętnastej) (o dwudziestej)

o dziewiątej   o dziesiątej   o jedenastej   o dwunastej
(o dwudziestej   (o dwudziestej   (o dwudziestej   (o dwudziestej
pierwszej)   drugiej)   trzeciej)   czwartej)
                                              (w południe)
                                              (o północy)

O której (godzinie) jest ten pociąg? / What time is that train?

10:05   – pięć po dziesiątej rano / o dziesiątej zero pięć
10:53   – za siedem jedenasta / o dziesiątej pięćdziesiąt trzy
11:58   – za dwie dwunasta / o jedenastej pięćdziesiąt osiem
13:30   – o wpół do drugiej / o trzynastej trzydzieści
16:55   – za pięć piąta po południu / o szesnastej pięćdziesiąt
         pięć
19:15   – piętnaście (kwadrans) po siódmej wieczorem /
         o dziewiętnastej piętnaście
23:35   – pięć po wpół do dwunastej w nocy / o dwudziestej
         trzeciej trzydzieści pięć

Lesson 9 — CAN YOU HELP ME?

👥 Dialogues

1. The phone's ringing at Tomek's

Tomek: Yes, please?

Sonia: Hi, Tomek. This is Sonia. Can you help me?

Tomek: What happened?

Sonia: I feel bad. I have fever, a headache, a sore throat and I'm coughing.

Tomek: You have a cold.

Sonia: Yes. Can you buy me some medicine at the pharmacy? Karen went away for the weekend and...

Tomek: Of course. What do you need?

Sonia: First of all, I must take something for the fever. I definitely need some cough syrup.

Tomek: I'll do the shopping and I'll be at your place in an hour.

2. At the pharmacy

Pharmacist: Hello! How can I help you?

Tomek: Hello! I'd like to buy some medicines for my friend. I think she has a cold.

Pharmacist: Does she have temperature?

Tomek: Yes, she does.

Pharmacist: Here, this is for the fever.

Tomek: Besides, she's coughing, she has a headache and a sore throat.

Lekcja 9

CZY MOŻESZ MI POMÓC?

🗣️ Dialogi

1. U Tomka dzwoni telefon

Tomek: Proszę, słucham.
Sonia: Cześć, Tomek! Mówi Sonia. Czy możesz mi pomóc?
Tomek: Co się stało?
Sonia: Źle się czuję. Mam gorączkę, boli mnie głowa, gardło i kaszlę.
Tomek: Jesteś przeziębiona.
Sonia: Tak. Czy możesz mi kupić jakieś lekarstwa w aptece? Karen wyjechała na weekend i...
Tomek: Oczywiście. Czego potrzebujesz?
Sonia: Przede wszystkim muszę wziąć coś na gorączkę. Na pewno potrzebuję syropu na kaszel.
Tomek: Zrobię zakupy i będę u ciebie za godzinę.

2. W aptece 🔊58

Farmaceuta: Dzień dobry! W czym mogę pomóc?
Tomek: Dzień dobry! Chciałbym kupić lekarstwa dla koleżanki. Jest chyba przeziębiona.
Farmaceuta: Czy ma temperaturę?
Tomek: Tak.
Farmaceuta: Proszę bardzo, tu jest coś na gorączkę.
Tomek: Poza tym kaszle, boli ją głowa i gardło.

Pharmacist: Here's some syrup for the cough, to be used three times a day after meals. And these are the pills for the sore throat.

Tomek: How do you take them?

Pharmacist: One in the morning and one for the night.

Tomek: Thank you very much.

3. At the ill Sonia's

Tomek: I've bought the medicines: tablets for the fever, some pills to suck for the throat and cough syrup.

Sonia: I'll take all that but I have to lie down first... Tomek, can you stay with me for a while?

Tomek: All right.

Sonia: Can you make me some tea? I have to take those tablets.

Tomek: Lemon and sugar?

Sonia: Yes, please.

after a moment

Sonia: Tomek, can you turn off the radio? I have a headache and I can't fall asleep.

Tomek: No sooner said than done... (*lit.* I'm already turning it off.)

Sonia: And can you call Maria?

Tomek: And what am I to tell her?

Sonia: That we can't go shopping together tomorrow.

Tomek: OK, I'll call her.

Sonia: I feel really bad.

Tomek: You know what, Sonia? I think you should see a doctor.

Sonia: You know what, I think you're right.

Farmaceuta: Na kaszel – ten syrop, trzy razy dziennie po jedzeniu. Na ból gardła – te tabletki.

Tomek: Jak je zażywać?
Farmaceuta: Jedna rano i jedna na noc.
Tomek: Dziękuję panu bardzo.

3. U chorej Soni 🎧59

Tomek: Kupiłem ci lekarstwa: tabletki na gorączkę, tabletki do ssania na gardło i syrop na kaszel.
Sonia: Wezmę wszystko, ale najpierw muszę się położyć... Tomek, czy możesz zostać chwilę ze mną?
Tomek: Dobrze.
Sonia: Czy możesz mi zrobić herbaty? Muszę wziąć te tabletki.

Tomek: Z cytryną i cukrem?
Sonia: Tak, proszę.

po chwili

Sonia: Tomek, czy możesz wyłączyć radio? Boli mnie głowa i nie mogę zasnąć.
Tomek: Już wyłączam.

Sonia: A czy możesz zadzwonić do Marii?
Tomek: I co mam jej powiedzieć?
Sonia: Że jutro nie możemy iść razem na zakupy.
Tomek: Dobrze, zadzwonię.
Sonia: Źle się czuję, naprawdę.
Tomek: Wiesz co, Soniu? Myślę, że powinnaś jutro pójść do lekarza.
Sonia: Wiesz, co? Chyba masz rację.

🎧 Ćwiczenia / Activities

ĆWICZENIE 1 🔊60

Proszę słuchać i powtarzać. / Please listen and repeat.

Tomek: Proszę, słucham. . . . .

Sonia: Cześć, Tomek! Mówi Sonia. . . . .
        Czy możesz mi pomóc? . . . .?

Tomek: Co się stało? . . . .?

Sonia: Źle się czuję. . . . . Mam gorączkę, boli
        mnie głowa, gardło i kaszlę. . . . .

Tomek: Jesteś przeziębiona. . . . .

Sonia: Tak. Czy możesz mi kupić jakieś lekarstwa w aptece?
        . . . .? Karen wyjechała na weekend
        i... . . . .

Tomek: Oczywiście. Czego potrzebujesz? . . . .?

Sonia: Przede wszystkim muszę wziąć coś na gorączkę. . . . .
        . . . . Na pewno potrzebuję syropu na kaszel.
        . . . .

Tomek: Zrobię zakupy i będę u ciebie za godzinę. . . . .
        . . . .

ĆWICZENIE 2 🔊61

Proszę odegrać rolę Tomka. / Please act out the role of Tomek.

Farmaceuta: Dzień dobry! W czym mogę pomóc?

Tomek: . . . .

Farmaceuta: Czy ma temperaturę?

Tomek: . . . .

Farmaceuta: Proszę bardzo, tu jest coś na gorączkę.

Tomek: . . . .

Farmaceuta: Na kaszel – ten syrop, trzy razy dziennie po jedzeniu.
Na ból gardła – te tabletki.
Tomek: ....?
Farmaceuta: Jedna rano i jedna na noc.
Tomek: ` ` ....

ĆWICZENIE 3 (62)
Proszę odegrać rolę Soni. / Please act out the role of Sonia.

Tomek: Kupiłem ci lekarstwa: tabletki na gorączkę, tabletki do
ssania na gardło i syrop na kaszel.
Sonia: ....?
Tomek: Dobrze.
Sonia: ....
Tomek: Z cytryną i cukrem?
Sonia: ....

po chwili

Sonia: ....
Tomek: Już wyłączam.
Sonia: ....?
Tomek: I co mam jej powiedzieć?
Sonia: ....
Tomek: Dobrze, zadzwonię.
Sonia: ....
Tomek: Wiesz co, Soniu? Myślę, że powinnaś jutro pójść do
lekarza.
Sonia: ....

! Phrases and expressions

- Can you help me?
- What happened?
- I feel bad.
- I have a cold.
- I have fever.
- I have a headache and a sore throat.
- I'm coughing.
- What do you need?
- I must take something for the fever.
- I need some cough syrup.
- I'll be at your place in an hour.
- How can I help you?
- Something for fever and headache, please.
- How do I take that?
- One tablet in the morning and one for the night.
- I must lie down.
- Can you make me some tea?
- Lemon and sugar?
- Can you turn off the radio?
- I'm already turning it off.
- I feel really bad.
- You know what?
- I think you should see a doctor.
- I think you're right.

! Zwroty i wyrażenia (63)

- Czy możesz mi pomóc?
- Co się stało?
- Źle się czuję.
- Jestem przeziębiona.
- Mam gorączkę.
- Boli mnie głowa i gardło.
- Kaszlę.
- Czego potrzebujesz?
- Muszę wziąć coś na gorączkę.
- Potrzebuję syropu na kaszel.
- Będę u ciebie za godzinę.
- W czym mogę pomóc?
- Coś na gorączkę i ból głowy, proszę.
- Jak to zażywać?
- Jedna tabletka rano i jedna na noc.
- Muszę się położyć.
- Czy możesz mi zrobić herbaty?
- Z cytryną i cukrem?
- Czy możesz wyłączyć radio?
- Już wyłączam.
- Źle się czuję, naprawdę.
- Wiesz, co?
- Myślę, że powinnaś pójść do lekarza.
- Chyba masz rację.

Lesson 10   MERRY CHRISTMAS!

👥 Dialogues

1. Tomek is inviting Sonia for the Christmas Eve supper

Tomek: Sonia, what are your plans for Christmas? Are you going home?

Sonia: I still don't know for sure. I think I'll stay in Krakow. I'm going to Belgium for the New Year.

Tomek: And what about Christmas Eve? Do you have a Christmas Eve supper at home?

Sonia: At home in Belgium? Yes. Always. Here I'll be alone.

Tomek: In such case I'd like to invite you for the Christmas Eve supper to our house. My parents want to meet you very much.

Sonia: Thank you for the invitation... I'm a little surprised... But yes, I'll be happy to come.

Tomek: I'm really glad!

2. In the Malinowskis' house

Tomek: Hello. Mum, dad, this is Sonia.

Sonia: Hello.

Dad: Hello. Nice to meet you, madam.

Sonia: Nice to meet you, too. Please, call me Sonia.

Mum: Tomek keeps talking about you. That's why we wanted to meet you very much.

Sonia: Thank you for being so kind and inviting me.

Lekcja 10   WESOŁYCH ŚWIĄT!

 **Dialogi**

1. Tomek zaprasza Sonię na Wigilię 🎧64

Tomek: Soniu, co planujesz na święta Bożego Narodzenia? Jedziesz do domu?

Sonia: Nie jestem pewna. Chyba zostanę w Krakowie. Do Belgii pojadę na Nowy Rok.

Tomek: A co z Wigilią? Czy robicie kolację wigilijną w domu?

Sonia: W domu w Belgii? Tak. Zawsze. Tutaj będę sama.

Tomek: W takim razie na tę Wigilię zapraszam cię do nas. Moi rodzice bardzo chcą cię poznać.

Sonia: Dziękuję za zaproszenie... Jestem trochę zaskoczona... Ale tak, bardzo chętnie przyjdę.

Tomek: Bardzo się cieszę!

2. W domu u państwa Malinowskich 🎧65

Tomek: Dzień dobry. Mamo, tato, oto Sonia.

Sonia: Dzień dobry państwu.

Tata: Dzień dobry. Miło nam panią poznać.

Sonia: Bardzo mi miło. Proszę mi mówić Sonia.

Mama: Tomek ciągle o tobie opowiada. Dlatego bardzo chcieliśmy cię poznać.

Sonia: Bardzo dziękuję za miłe zaproszenie.

Mum:	Come on inside, please. The supper's not ready yet, but please let me show you to the room. Sit down here, please.
Tomek:	Janek, come here to us.
Janek:	I'm coming!
Tomek:	Let me introduce you to each other – this is Janek, my crazy younger brother. And this is Sonia.
Janek:	Hi. Do you also have such a wonderful brother like me?
Sonia:	No, I haven't got a brother. I have a younger sister. She's much younger, she's only eight.
Dad:	Sonia, may I ask a question?
Sonia:	Of course.
Dad:	What do your parents do?
Tomek:	Oh, dad!
Sonia:	My mum plays the piano in a music hall, and my dad's a History of Art professor. He works at university.
Mum:	Supper's ready. Let me invite you all to the Christmas Eve table! Merry Christmas!
Everyone:	Merry Christmas!

Mama:	Prosimy dalej. Kolacja jeszcze nie jest gotowa. Zapraszam do pokoju... Proszę, usiądź tutaj.
Tomek:	Janek, chodź do nas!
Janek:	Już idę!
Tomek:	Poznajcie się: to Janek, mój zwariowany młodszy brat. A to Sonia.
Janek:	Cześć. Czy też masz takiego wspaniałego brata jak ja?
Sonia:	Nie, nie mam brata. Mam młodszą siostrę. Jest dużo młodsza. Ma dopiero osiem lat.
Tata:	Soniu, czy mogę cię o coś zapytać?
Sonia:	Oczywiście.
Tata:	Co robią twoi rodzice?
Tomek:	Ależ tato!
Sonia:	Moja mama gra na fortepianie w filharmonii, a tata jest profesorem historii sztuki. Pracuje na uniwersytecie.
Mama:	Kolacja gotowa. Zapraszam wszystkich do wigilijnego stołu! Wesołych Świąt!
Wszyscy:	Wesołych Świąt!

🎧 Ćwiczenia / Activities

ĆWICZENIE 1 🎧66
Proszę słuchać i powtarzać. / Please listen and repeat.

Tomek: Soniu, co planujesz na święta Bożego Narodzenia? . . .
. . . .? Jedziesz do domu? . . . .
. . .?

Sonia: Nie jestem pewna. . . . . Chyba zostanę
w Krakowie. . . . . Do Belgii pojadę na
Nowy Rok. . . . .

Tomek: A co z Wigilią? . . . .? Czy robicie kolację
wigilijną w domu? . . . .?

Sonia: W domu w Belgii? Tak. Zawsze. . . . .
Tutaj będę sama. . . . .

Tomek: W takim razie na tę Wigilię zapraszam cię do nas. . . . .
. . . . Moi rodzice bardzo chcą cię poznać. . . . .
. . . .

Sonia: Dziękuję za zaproszenie... . . . . Jestem
trochę zaskoczona... . . . . Ale tak,
bardzo chętnie przyjdę. . . . .

Tomek: Bardzo się cieszę! . . . .!

ĆWICZENIE 2 🎧67
Proszę odegrać rolę Soni. / Please act out the role of Sonia.

Tomek: Dzień dobry. Mamo, tato, oto Sonia.
Sonia: . . . .
Tata: Dzień dobry. Miło nam panią poznać.
Sonia: . . . .
Mama: Tomek ciągle o tobie opowiada. Dlatego bardzo chcie-
liśmy cię poznać.

Sonia: . . . .

Mama: Prosimy dalej. Kolacja jeszcze nie jest gotowa. Zapra-
         szam do pokoju... Proszę, usiądź tutaj.

Tomek: Janek, chodź do nas!

Janek: Już idę!

Tomek: Poznajcie się: to Janek, mój zwariowany młodszy brat.
         A to Sonia.

Janek: Cześć. Czy ty też masz takiego wspaniałego brata jak
         ja?

Sonia: . . . .

Tata: Soniu, czy mogę cię o coś zapytać?

Sonia: . . . .

Tata: Co robią twoi rodzice?

Tomek: Ależ tato!

Sonia: . . . .

Mama: Kolacja gotowa. Zapraszam wszystkich do wigilijnego
         stołu! Wesołych Świąt!

Wszyscy: . . . .!

! Phrases and expressions

- What are your plans for Christmas?
- Are you going home?
- I don't know for sure.
- And what about Christmas Eve?
- My parents want to meet you very much.
- Thank you for the invitation.
- I'm a little surprised.
- I'll be happy to come.
- I'm very happy!
- Hello! (used when addressing more than one person, formal)
- Call me Sonia.
- We wanted to meet you very much.
- Come on inside, please.
- Come here to us!
- I'm coming!
- Let me introduce you to each other.
- May I ask a question?
- What do your parents do?
- Yes, of course.
- Supper's ready.
- Let me invite you to the table!
- Merry Christmas! (*lit.* Happy Holidays!)

! Zwroty i wyrażenia (68)

- Co planujesz na święta?
- Jedziesz do domu?
- Jeszcze nie wiem na pewno.
- A co z Wigilią?
- Moi rodzice bardzo chcą cię poznać.
- Dziękuję za zaproszenie.
- Jestem trochę zaskoczona.
- Bardzo chętnie przyjdę.
- Bardzo się cieszę!
- Dzień dobry państwu!
- Proszę mi mówić Sonia.
- Bardzo chcieliśmy cię poznać.
- Prosimy dalej.
- Chodź do nas!
- Już idę!
- Poznajcie się!
- Czy mogę cię o coś zapytać?
- Co robią twoi rodzice?
- Ależ oczywiście.
- Kolacja gotowa.
- Zapraszam do stołu!
- Wesołych Świąt!

! Calendar: months and dates

Month	When?
1. January	in January
2. February	in February
3. March	in March
4. April	in April
5. May	in May
6. June	in June
7. July	in July
8. August	in August
9. September	in September
10. October	in October
11. November	in November
12. December	in December

! Some important dates

January 1 (the first)	New Year
February 21 (the twenty first)	Grandma's Day
February 14 (the fourteenth)	St. Valentine's Day
March 21 (the twenty first)	The first day of spring
April 1 (the first)	April Fool's Day
May 3 (the third)	Constitution Day
May 26 (the twenty sixth)	Mother's Day
June 1 (the first)	Children's Day

! Kalendarz: miesiące i daty

Miesiąc	Kiedy?
1. Styczeń	w styczniu
2. Luty	w lutym
3. Marzec	w marcu
4. Kwiecień	w kwietniu
5. Maj	w maju
6. Czerwiec	w czerwcu
7. Lipiec	w lipcu
8. Sierpień	w sierpniu
9. Wrzesień	we wrześniu
10. Październik	w październiku
11. Listopad	w listopadzie
12. Grudzień	w grudniu

! Niektóre ważne daty

1 (pierwszego) stycznia jest Nowy Rok.
21 (dwudziestego pierwszego) stycznia jest Dzień Babci.
14 (czternastego) lutego są Walentynki.
21 (dwudziestego pierwszego) marca jest pierwszy dzień wiosny.
1 (pierwszego) kwietnia jest prima aprilis.
3 (trzeciego) maja jest święto Konstytucji.
26 (dwudziestego szóstego) maja jest Dzień Matki.
1 (pierwszego) czerwca jest Dzień Dziecka.

June 21 (the twenty first)	Father's Day
July 5 (the fifth)	My birthday
August 15 (the fifteenth)	Assumption of the Mother of God
September 1 (the first)	The first day of school
October 14 (the fourteenth)	Teacher's Day
November 11 (the eleventh)	Independence Day
December 24 (the twenty fourth)	Christmas Eve Day
December 25 (the twenty fifth)	Christmas

23 (dwudziestego pierwszego) czerwca jest Dzień Ojca.

 5 (piątego) lipca są moje urodziny.

15 (piętnastego) sierpnia jest święto Matki Bożej.

 1 (pierwszego) września jest pierwszy dzień szkoły.

14 (czternastego) października jest Dzień Nauczyciela.

11 (jedenastego) listopada jest Święto Niepodległości.

24 (dwudziestego czwartego) grudnia jest Wigilia Bożego
    Narodzenia

25 (dwudziestego piątego) grudnia jest Boże Narodzenie.

ONENESS

This manual is a product of ONENESS – an international project co-financed by partner institutions from five European countries and the European Commission under the Socrates-Lingua 2 programme.

The Socrates-Lingua programme was designed to:

- encourage and support linguistic diversity throughout the European Union;
- contribute to an improvement in the quality of language teaching and learning;
- promote access to lifelong learning opportunities appropriate to each individual's needs.

The Lingua 2 Action aims specifically to ensure that a sufficiently wide range of language learning tools is available to language learners.

For more information on the Socrates-Lingua programmes, please visit: www.ec.europa.eu/education/programmes/socrates/lingua/index.en.html

ONENESS – On-line less used and less taught language courses

The three-year project started in 2003 with the aim to develop methodologies and materials for on-line learning of five European languages: Estonian, Finnish, Lithuanian, Polish and Portuguese. The course is intended for (young) learners who want to:

- achieve survival level in the target language and use it in the target country as (temporary) residents or tourists;
- get to know the country of the target language;
- acquire linguistic skills to access information in the target language.

The project was co-ordinated by Meilute Ramoniene from the Department of Lithuanian Studies, Vilnius University, Lithuania. Partner countries were: Estonia, Finland, Lithuania, Poland, and Portugal. The first set of the on-line learning materials may be already accessed at the project website: www.oneness.vu.lt. We invite everyone wanting to learn some basic Estonian, Finnish, Lithuanian, Polish or Portuguese to try out the exciting tool that we produced.

Partner Institutions / Instytucje partnerskie

Department of Lithuanian Studies
Vilnius University, Lithuania

The Department of Lithuanian Studies is one of the youngest subdivisions of Vilnius University, which has already celebrated its 400 years anniversary. The Department was established in 1990 with the aim to teach Lithuanian as a foreign/second language and introduce Lithuanian culture to foreigners. The Department offers courses in Lithuanian and conducts research on modern language teaching methodology.

For more information, please visit: www.lsk.flf.vu.lt

Department of Estonian as a Foreign Language
University of Tartu, Estonia

The Department of Estonian as a Foreign Language, founded in 1989, offers both Bachelor's courses and a MA programmes in the field. The Department supports Finno-Ugric peoples in Russia by way of helping their representatives get a degree in Tartu and plays a significant role in the process of integrating non-Estonian inhabitants of East-Estonia into the country's life and culture.

For more information, please visit: www.ut.ee

School of Polish Language and Culture
Jagiellonian University, Krakow, Poland

The JU School of Polish Language and Culture was founded in 1969 with the aim to offer academic programs of Polish language, culture, history and society to foreign students. The School offers short-term custom tailored study abroad programs organized for both individuals and foreign institutions – universities, colleges, foundations etc., as well as 3-, 4- and 6-week intensive summer sessions on Polish language and culture open to all individuals interested both in academic study and in life long learning.

For more information, please visit: www.uj.edu.pl/SL

Society of Academic Research Authors and Publishers UNIVERSITAS, Krakow, Poland

The UNIVERSITAS Society of Academic Research Authors and Publishers was founded in 1989 by a group of Jagiellonian University scholars. The Society specializes in publishing works of an academic nature in the field of humanities, with special regard to:
- the history of literature and art,
- the theory of language and literature,
- the history of philosophy,
- sociology,
- fiction,
- Polish for foreigners.

For more information, please visit: www.universitas.com.pl

Oy Finn Lectura AB
Helsinki, Finland

Oy Finn Lectura AB is a publishing house established in 1986 and owned by the Finnish Union of University Lecturers. The company concentrates on publishing learning materials (textbooks, audio CD, DVD, Internet material) for adults in universities and in other educational institutions.

For further information please visit: www.finnlectura.fi

Oy Yleisradio AB (YLE)
Finnish Broadcasting Company

The YLE Language Programmes (Education Department of the Finnish Broadcasting Company) produces various language programmes mainly for the television and the web. It has a wide network of contacts, teachers and study groups covering geographically the whole Finland. The network supports the adult educational system in Finland especially at local and regional levels.

For more information please visit: www.yle.fi

Department of Linguistics
New University of Lisbon, Portugal

The Universidade Nova de Lisboa (UNL) was founded on the 11th August 1973, and is the most recent of Lisbon's three state universities. Linguistics has existed at UNL as an autonomous scientific area since 1974–75. At the end of 1989 the Linguistics Department, which is part of the Faculty of Social and Human Sciences, started offering Master's degrees in Linguistics. At present the Department offers a wide range of MA and PhD seminars. The University also offers one-year-long courses, as well as a summer course in Portuguese language and culture.

For further information, please visit: www.fcsh.unl.pt/linguistica

Regional Studies Department
Vytautas Magnus University, Kaunas, Lithuania

Vytautas Magnus University Regional Studies Department is experienced in the field of the Baltic region studies (politics, economy, history, culture, social life and languages). The Department offers interdisciplinary Master degree programme in Baltic Region Studies, non-degree courses in Baltic Region Studies, different levels of Lithuanian language studies and Lithuanian language summer and winter courses for foreigners.

For more information, please visit: www.vdu.lt/LTcourses

TOWARZYSTWO AUTORÓW I WYDAWCÓW
PRAC NAUKOWYCH
UNIVERSITAS

www . u n i v e r s i t a s . c o m . p l

REDAKCJA
ul. Sławkowska 17, 31-016 Kraków
tel./fax 012 423 26 05 / 012 423 26 14 / 012 423 26 28
red@universitas.com.pl
promocja@universitas.com.pl

DYSTRYBUCJA oraz KSIĘGARNIA WYSYŁKOWA
ul. Żmujdzka 6B, 31-426 Kraków
box@universitas.com.pl
tel. 012 413 91 36 / 012 413 92 70
fax 012 413 91 25